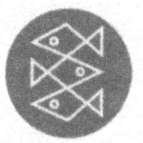

Schöne Menschen haben mehr vom Leben: mehr Erfolg, mehr Sex, mehr Geld. Sie gelten als intelligenter und sozial kompetenter als ihre weniger attraktiven Kollegen. Die Beaus und Bellas machen Karriere, nicht weil sie mehr leisten, sondern weil sie besser wirken. Von klein auf werden sie bevorzugt, schließen leichter Freundschaften, finden schneller einen Partner. Dagegen haben Kleinwüchsige, Übergewichtige und Glatzköpfe bei der Bewerbung um einen Führungsjob kaum Chancen. Doch darüber redet keiner. Frank Naumann bricht dieses Tabu. Er offenbart, wie der schöne Schein uns blenden kann, aber auch, wie wir unser individuelles Schönheitspotenzial am besten zur Geltung bringen. Und er beantwortet zahlreiche Fragen rund ums gute Aussehen, wie: Gibt es ein universelles Schönheitsideal? Oder liegt Schönheit im Auge des Betrachters? Gibt es Sexappeal und Ausstrahlung ohne Schönheit? Wie wichtig ist gutes Aussehen für den Lebenserfolg?

Frank Naumann, geboren 1956, Studium der Philosophie in Berlin mit Spezialisierung auf philosophische Fragen in Biologie, Psychologie und Medizin. Promotion 1984 und Habilitation 1989. Bis 1998 Mitarbeiter für Kommunikationstheorie an der Humboldt-Universität in Berlin. Seit 1994 als Sachbuchautor tätig, seit 1998 freischaffend. Frank Naumann arbeitet zudem als Kommunikationstrainer.

Unsere Adresse im Internet: www.fischerverlage.de

Frank Naumann

Schöne Menschen haben mehr vom Leben

❧

Die geheime Macht der Attraktivität

Fischer
Taschenbuch
Verlag

Dieses Buch ist der unveränderte Reprint einer älteren Ausgabe.

Erschienen bei Fischer Digital
© S. Fischer Verlag GmbH, Frankfurt am Main 2014

Printed in Germany
ISBN 978-3-596-30142-3

Originalausgabe
Veröffentlicht im Fischer Taschenbuch Verlag,
einem Unternehmen der S. Fischer Verlag GmbH,
Frankfurt am Main, August 2006

© S. Fischer Verlag, Frankfurt am Main 2006
Satz: Pinkuin Satz und Datentechnik, Berlin
Druck und Bindung: Druckerei C. H. Beck, Nördlingen
Printed in Germany
ISBN 13: 978-3-596-16338-0
ISBN 10: 3-596-16338-2

Inhalt

der eine sexy Frau erblickt? · *Was unterscheidet Schönheit von Sexappeal?* · *Sexappeal beginnt im Gesicht* · *Typisch weiblich, typisch männlich* · *Erotische Ausstrahlung hat viele Gesichter* · *Was der Sexappeal über die Gesundheit verrät*

Sport ist uns teurer als Kunst und Kultur · *Warum ausgerechnet Fußball?* · *Wie Fußballresultate die Arbeitsmotivation beeinflussen* · *Was ist männlich?* · *Echte Männer sind große Männer* · *Warum Frauen lange Kerle bevorzugen* · *Was Politiker groß macht* · *Sind große Männer tatsächlich stärker?* · *Was Männer an Männern schön finden* · *Steigern Testosteronspritzen die Männlichkeit?* · *Wenn Sport Mord ist*

Warum tragen wir kein Fell? · *Wie nackte Haut als erotisches Signal wirkt* · *Was Kleidung leistet* · *Warum Frauen trotz voller Schränke nichts anzuziehen haben* · *Das Aschenputtel-Syndrom* · *Was ist Mode, was ist Stil?* · *Wie Sie Ihren persönlichen Stil finden* · *Als Friseure mehr verdienten als ein Minister* · *Was tote Haare über lebende Körper aussagen* · *Warum Blondinenwitze so beliebt sind* · *Wie Frisuren Charakterurteile bestimmen* · *Wie die Haarfarbe den Charakter prägt* · *Zwischen Blond und Brünett liegen Welten*

Wie erstrebenswert ist ein Leben in Luxus? · *Bringen Statussymbole irgendeinen Nutzen?* · *Ist der Charakter wichtiger als die soziale Stellung?* · *Was Frauen an Männern beeindruckt* · *Warum Erfolg sexy macht* · *Die Statussymbole der Anfänger* · *Die Statussymbole der Arrivierten* · *Warum Männer im mittleren Alter noch so verdammt attraktiv sind* · *Das Dilemma:*

Einleitung

Nur Dumme urteilen nicht nach dem, was
sie sehen. Das wahre Geheimnis der Welt ist
das Sichtbare, nicht das Unsichtbare.

Oscar Wilde

Bis vor einigen Jahren lehrte ich an einer Universität praktische Kommunikation. Ich unterrichtete Studenten in Rhetorik, Körpersprache und sozialer Kompetenz. Eines Nachmittags – das Semester lief bereits vier Wochen – trat eine bildhübsche Studentin auf mich zu und fragte: »Ich habe leider jetzt erst von Ihrem Seminar erfahren. Kann ich bitte noch in Ihren Kurs einsteigen?«

Sie schien direkt aus einem Modemagazin in mein Seminar gesprungen zu sein. Lange, seidige, blonde Haare. Schlank und dennoch deutliche Kurven. Blaue Augen, Grübchen und ein verführerisches Lächeln ... Reiß dich zusammen, befahl ich mir. Der Raum war bereits überfüllt. Ein Teil der Studenten saß auf Fensterbänken oder hockte zwischen den Tischen. Ich zeigte mit der Hand nach hinten: »Sie sehen ja, was hier los ist.«

»Oh, bitte. Es ist sehr wichtig für mich. Mir genügt ein Stehplatz da hinten an der Wand.«

Unter diesen Umständen nein zu sagen, ging über meine Kraft. Eine Frau zusätzlich wird meinem männerdominierten Seminar gut tun, beruhigte ich mich. Und was für eine! Sie stellte einen erfreulichen Farbtupfer dar zwischen all den Jeans- und T-Shirt-Typen. Durfte ich meinen Augen nicht mal etwas Angenehmes gönnen? Ich sollte meine Entscheidung nicht bereuen. Sie sah nicht nur gut aus. Sie arbeitete auch eifrig mit. Sie stellte clevere Fragen, mit denen sie Einfühlungsvermögen und Intelligenz bewies.

Am Ende des Seminars fragte ich sie nach den Gründen für ihr Interesse. Sie erzählte mir eine erstaunliche Geschichte. »Am Wochenende gehe ich manchmal in die Disco vom Hilton. Das Publikum dort ist sehr interessant. Junge Banker und Start-up-Unternehmer. Schon einige haben mich gefragt, ob ich ihnen nicht ein paar Privatstunden in Sprecherziehung und Rhetorik geben könnte. Nun, Sprecherziehung habe ich im Studium gehabt, aber Rhetorik ... deswegen besuche ich Ihren Kurs.«

»Diese Männer wollen wirklich nur Stimmschulung und Aussprache bei Ihnen lernen?«

»Und Rhetorik.« Dann begriff sie, was ich meinte, und lachte auf. »Oh, was das betrifft ... mit 16 habe ich Bademoden vorgeführt. Seitdem weiß ich, wie man mit so was umgeht. Ich verwarne jeden nur einmal. Wer dann immer noch nicht seine Hände bei sich behalten kann, muss sich eine andere Lehrerin suchen.«

Beneidenswert. Sie hatte es nicht nötig, Zeitungen auszutragen oder nachts Briefe zu sortieren, um ihr Studium zu finanzieren. Davon war ich restlos überzeugt, als wir einige Minuten später das Gebäude verließen. Sie schritt auf einen neuen Audi zu. Aus eigenen Ersparnissen finanziert, berichtete sie mir stolz.

»Dann steht Ihnen wohl eine Blitzkarriere als Kommunikationstrainerin bevor«, meinte ich.

»Mein ganzes Leben lang Karrieretypen ordentliches Sprechen beibringen?« Sie schüttelte den Kopf. »Ich möchte lieber in die Forschung. Mal sehn, wie es klappt ...«

Die Macht des schönen Scheins

Ich weiß nicht, ob sie ihr Ziel erreicht hat. Nach Ende des Semesters entschwand sie so plötzlich, wie sie gekommen war.

Wenn sie ihre Professoren mit den gleiche Mitteln beeindruckte wie mich und ihre Jungunternehmer? Dann dürfte sie kaum auf Schwierigkeiten gestoßen sein. Ihre weniger attraktiven Kommilitonen wären froh gewesen, nach ihrem Studium so einen Traumjob als Trainer zu ergattern! Sie mühten sich jahrelang ab mit Praktika und erniedrigendem Klinkenputzen, um wenigstens einen halbwegs sicheren Job zu finden.

Der erste Eindruck hängt zu 55 Prozent von der äußeren Wirkung, zu 38 Prozent von der Stimme und nur zu sieben Prozent vom Inhalt des gesprochenen Wortes ab. Der Amerikaner Albert Mehrabian, Professor für Psychologie an der University of California in Los Angeles, hatte diese Zahlen schon Ende der sechziger Jahre in einer Studie ermittelt. Das Aussehen entscheidet zu mehr als der Hälfte, ob wir beim Kennenlernen sympathisch wirken oder nicht. Wir sind uns dieser Zusammenhänge auch bewusst. Jeder kennt Leute, die ihre Karriere eher ihrem Aussehen als ihren Fähigkeiten verdanken. In vielen Büros kursieren Geschichten von Mitarbeiterinnen, die ihren Chef becircen, um ihre Karriere zu beschleunigen. Von Männern, die mit dem Charme eines Casanova die Chefsekretärin auf ihre Seite ziehen, um über diesen Umweg das Ohr ihres Vorgesetzten zu gewinnen. Wir wissen, dass die Stasi »Romeos« einsetzte, um über das Herz der Vorzimmerdamen an brisante NATO-Dokumente zu gelangen. Und erst im Privatleben! Da ist die junge, hübsche Geliebte, die den Männern in der Midlife-Krise die Ehefrau und Mutter ihrer Kinder abspenstig macht. Der Charmeur, dem alle Frauenherzen zufliegen – trotz Schulden, Alkoholexzessen und notorischer Untreue –, während sein stiller, solider und fleißiger Kumpel seit Jahren solo leben muss. Ja, sogar als ich für dieses Buch einen Verlag suchte, gestand mir ein (männlicher!) Lektor, dass ihm seine Ausstrahlung in seiner Laufbahn zumindest nicht geschadet habe.

Das Grundproblem ist schnell skizziert. In allen Umfragen

rangieren Freundschaft und Selbstverwirklichung vor Äußerlichkeiten wie Haus, Auto und hohem Einkommen. Trotzdem dreht sich das Alltagsleben der Befragten hauptsächlich um diese materiellen Dinge. Die meisten von uns hoffen trotzdem, dass sich langfristig die edlen Werte durchsetzen. Also Treue, Freundschaft, solide Bildung, Ehrlichkeit und Tugend. Schwindeleien und schöner Schein mögen zwar eine Zeit lang die kritische Vernunft übertölpeln, aber am Ende sollten Wahrheit und Anstand den Sieg davontragen. Diesen Glauben haben wir quasi mit der Muttermilch eingesogen. Hörten wir nicht schon als Kind Sprichwörter wie »Wer schön sein will, muss leiden« oder »Lügen haben kurze Beine«? Wer dann in den Nachrichten hört, dass wieder einmal ein Anlagebetrüger im Gefängnis oder ein Supermodel in einer Entzugsklinik gelandet ist, kann sich beruhigt zurücklehnen: Bei den Blendern und Schönen dieser Welt steht auch nicht alles zum Besten.

Nun wird nicht jeder unglücklich, der seinen Erfolg hauptsächlich seiner Schönheit verdankt. Nur über die Gegenbeispiele spricht kaum jemand. Wie viele Frauen und Männer, die ihre Karriere ihrem Aussehen, ihrer Jugend und anderen äußerlichen Attributen verdankten, lebten glücklich und in Wohlstand bis ins hohe Alter! So wie die vielen Schauspieler und Schauspielerinnen, die Jahr für Jahr einen Oscar für ihr Lebenswerk erhalten. Dass Fleiß und Intelligenz uns weiterbringen als Schönheit und Charme, ist bis heute eine unbewiesene Annahme. Sie hat aber gravierende Auswirkungen auf unsere Lebensplanung. Denn von ihr hängt ab, mit welchen Mitteln wir unsere Ziele zu erreichen versuchen. So manches fleißige Bienchen strampelt sich ab, um seine Tüchtigkeit unter Beweis zu stellen. Doch niemand nimmt seine Leistungen wahr, solange es im Stillen vor sich hin ackert. Sein Mitstreiter, der nur über mittelmäßige Talente verfügt, setzt dagegen seine beschränkten Fähigkeiten geschickt in Szene und schmeichelt sich nach oben. Wer von beiden handelt klüger?

Ich habe versucht, bei Personalchefs, Partnervermittlern, Casting-Agenturen und Headhuntern einen Blick hinter die Kulissen zu werfen. Nach welchen Kriterien wählen sie aus, wer wofür geeignet ist? Einige weigerten sich grundsätzlich, Auskunft zu erteilen, und beriefen sich auf ihr Firmengeheimnis. Andere gaben durchaus zu, neben der fachlichen Qualifikation auch auf persönliche Eigenschaften zu schauen. Einige legten Wert auf Kreativität, andere auf gute Umgangsformen und flüssiges Sprechen. Sobald ich aber nach dem Aussehen fragte, ging der Vorhang herunter. Später, beim Kaffee unter vier Augen, gestand der eine oder andere ein, dass er unansehnliche Kandidat(inn)en mit der Begründung ausmusterte: »Passt nicht in unser Team«. Oder eine junge hübsche Anfängerin mit sanften Augen lieber engagierte als eine resolute Dame im fortgeschrittenen Alter. Aber wehe, ich würde ihn zitieren!

Diese Geheimnistuerei ist nicht verwunderlich. Ein Bewerber, der wegen seines Aussehens gescheitert ist, kann den unwilligen Personalchef vor Gericht verklagen. Freilich ist solch ein Verdacht so gut wie nie zu beweisen. Für manche Benachteiligte (Behinderte, Ausländer, allein erziehende Mütter) hat der Gesetzgeber Sonderregelungen geschaffen, um Diskriminierungen auszuschließen. Wer aber dick oder hässlich ist, muss außer dem Schaden oft noch den Spott mit in Kauf nehmen.

Was dieses Buch enthüllt

»Edel sei der Mensch, hilfreich und gut!« Mit diesem Goethevers ermahnten uns die Lehrer, auf die inneren Werte zu schauen. Der Schulhofalltag rückte die Dinge wieder zurecht. Vier Wochen lang Hausaufgaben abschreiben lassen brachte nicht halb so viel Aufmerksamkeit ein wie das neueste Paar Nikes an den Füßen innerhalb eines Augenblicks.

Appelle gegen die Oberflächlichkeit verlocken uns nur, mit gespaltener Zunge zu reden. Wir loben Familie, Liebe, Intelligenz, Reife, Fleiß und selbstloses Handeln. In Wahrheit faszinieren uns aber Anmut, Stärke, Jugend, Statussymbole, lange blonde Haare, elegante Schuhe und ein bezauberndes Lächeln – kurz, der schöne Schein. Wir loben edle Charaktere, lassen uns aber nur allzu gern von einem angenehmen Äußeren blenden.

Eine schöne Fassade wirkt genauso unwiderstehlich wie ein schönes Essen. Mehr noch: Wer ebenmäßigen Gesichtszügen, Schlankheit und Jugend vertraut, beweist praktisches Urteilsvermögen. So wie Millionen von Frauen, die viele Euros in Kosmetik, Kleidung und Anti-Aging investieren. Wie die Männer, die auf Kraftmaschinen und an Gewichten schwitzen, um ihre Muskeln aufzublähen. Warum lernen sie nicht lieber eine Fremdsprache oder lösen mathematische Rätsel? Die Antwort ist simpel. Weil man im Leben mit einem knackigen Body oft schneller und sicherer vorwärts kommt als mit langwierigem Streben nach Wissen und logischem Denkvermögen.

Wenn Sie zu den Menschen gehören, die sich schon einmal

- vor dem Spiegel die Haare rauften, weil sie einfach nicht so schlank und gefällig aussehen wie die Kollegin aus der Nachbarabteilung,
- geärgert haben, weil die neue Sachbearbeiterin beim Chef mit einem Augenaufschlag erreicht, was er Ihnen selbst nach vier Wochen Tag-und-Nacht-Schufterei nicht gewähren will,
- gefragt haben, wieso sich nur deswegen keiner nach Ihnen umdreht, weil Ihnen an der entscheidenden Stelle ein paar Zentimeter fehlen,
- wünschten, unter lauter Blinden zu leben, damit sich endlich mal jemand für Ihre Worte statt für Ihre Kurven interessiert,

dann werden Sie in diesem Buch nicht nur eine Reihe von Antworten lesen. Sie erfahren außerdem, wie Sie in Zukunft unbefangener und gezielt Ihre äußeren Vorzüge zum Einsatz bringen, wenn Sie Freunde, Kollegen, Vorgesetzte oder Ihre große Liebe von sich überzeugen wollen. In den letzten Jahren haben Forscher den Schleier über dem Geheimnis von Schönheit und äußerer Wirkung gelüftet. Allerdings ist dieses Wissen nicht ohne weiteres zugänglich. Das meiste liegt in verstreuten Fachartikeln vor, viele davon nur in Englisch und Französisch. In diesem Buch habe ich die Einzelheiten zu einem Gesamtbild zusammengefügt, damit Sie die neuen Erkenntnisse leicht verstehen und für sich nutzen können.

Schönheit und Charakter haben mehr gemeinsam, als es auf den ersten Blick scheint. Für beide »Talente« hat uns die Natur mit genetischen Voraussetzungen beschenkt – die einen mehr, die anderen weniger. Und in beiden Fällen hängt es von Ihrem Geschick und Ihrem Fleiß ab, ob Sie etwas daraus machen oder Ihre Stärken ungenützt verkümmern lassen. Der wichtigste Unterschied: Schönheit fällt sofort auf, ein guter Charakter erst nach längerem Kontakt. Was von beiden setzt sich wohl schneller durch?

Warum eine hübsche Fassade
schlaue Argumente
ganz schön blass aussehen lässt

»... haben wir nicht schon oft erfahren, dass
uns Bekenntnisse einer schönen Seele nicht
interessieren, wenn sie aus einem hässlichen
Körper kommen?«

Harald Schmidt

Eine Journalistin fragte die TV-Moderatorin und ehemalige
Chefin des Musikkanals MTV Christiane zu Salm in einem In-
terview: »Sie sind weiblich, blond, langbeinig – eröffnen sich
Ihnen dadurch mehr Chancen?«

Sie antwortete: »Sicher. Aber mit dem Bonus des guten Aussehens ist es schnell wieder vorbei, wenn hinter der Fassade
nichts steckt. Ich war nie der Typ, dem alles zuflog, habe immer hart gearbeitet.«

Für die große Mehrheit der Models und Schauspielschüler
dürfte sich das wie blanker Hohn anhören. Sie arbeiten genauso hart und bekommen nie eine erste Chance.

Zählt das Äußere nur am Anfang,
später aber die inneren Werte?

Wer Erfolg hat, möchte nicht gern daran erinnert werden,
dass in seinem Schatten viele Talente verkümmern, die ebenso
fleißig und begabt sind wie er selbst. Doch auch wir Normal-
sterblichen glauben gern, Äußeres und innere Werte seien
zwei grundverschiedene Dinge, zwischen denen keinerlei Verbindung besteht.

Sie können nicht die Gedanken Ihrer nächsten Bekannten lesen. Woher kennen Sie ihre inneren Werte? Sie achten auf das äußerlich wahrnehmbare Verhalten. Wer bei keiner Ihrer Verabredungen mehr als fünf Minuten zu spät kommt, den halten Sie für »pünktlich«. Hält er jeden Termin ein, gilt er Ihnen als »zuverlässig«. Haben Sie bei ihm bisher keinen unkontrollierten Zornesausbruch erlebt, nennen Sie ihn »freundlich« und »ausgeglichen«.

Kurz, Sie schließen von wiederholten Beobachtungen ähnlichen Verhaltens auf innere Werte. Meistens zu Recht. Wir alle neigen zu Verhaltensweisen, die für uns typisch sind. Ihre Gesamtheit nennen wir »Charakter«. Umso größer die Überraschung, wenn jemand sich plötzlich anders als gewohnt verhält. Wenn etwa einer, der bislang seine Rechnungen eher zu früh als zu spät bezahlte, sich mit einer größeren Summe aus dem Staub macht. Wenn ein bislang stiller Kollege auf einmal mit der Faust auf den Tisch haut.

Äußeres und innere Werte – das ist keine Frage der Reihenfolge. Sie laufen parallel. Wir hören nicht auf, Aussehen und Verhalten zu beurteilen, nur weil wir jemanden seit längerem gut kennen. Und umgekehrt: Wir versuchen vom ersten Moment einer Begegnung an, die Persönlichkeit der neuen Bekanntschaft einzuschätzen. Und zwar aufgrund der wahrnehmbaren Äußerlichkeiten. Denn andere Informationen stehen uns in den ersten Sekunden noch nicht zur Verfügung. Sogar Männer, die einer Frau in den Ausschnitt starren, erfreuen sich nicht bloß an ihrem schönen Dekolleté. Sie stellen sofort Überlegungen an – wenn auch zum Teil unbewusst –, wie selbstbewusst, kommunikativ, gesund und vital die Dame ist. Das Erstaunliche ist: Dieser erste Eindruck ist weitaus zuverlässiger, als wir üblicherweise annehmen. Das konnten wissenschaftliche Studien zeigen, die ich Ihnen in diesem Buch noch vorstellen werde.

Wir sind also auf die Wirkung des Äußeren angewiesen,

um unsere Mitmenschen einzuschätzen. Jede Frau, die vor dem Ausgehen eine Stunde vor dem Spiegel verbringt, ist sich dessen bewusst. Sonst würde sie die Zeit nutzen, um an ihrer Charakterbildung zu arbeiten. Aber vielleicht gilt das nur für den ersten Eindruck? Erweisen sich die inneren Werte wenigstens als überlegen, wenn es um den langfristigen Lebenserfolg geht?

Schönheit oder Klugheit – was bietet mehr Lebenserfolg?

Alle Jahre wieder wenden im Herbst die Forscher und Schriftsteller der Welt ihre Blicke nach Schweden. Die Königliche Akademie verkündet die Gewinner der von Dynamiterfinder Alfred Nobel gestifteten Preise. Geehrt werden bis zu drei Personen, die im abgelaufenen Jahr auf den Gebieten Physik, Chemie, Medizin, Literatur und Frieden das meiste für die Menschheit geleistet haben. So hat es Nobel in seinem Testament verfügt. Seit 1969 gibt es zusätzlich Nobelpreise für Wirtschaftswissenschaftler. Den Ausgezeichneten winkt nicht nur Ehre, sondern auch ein siebenstelliger Scheck. Jeder der fünf Nobelpreise war zuletzt mit 1,1 Millionen Euro dotiert.

Eine schöne Stange Geld? Als zur Zeit der Verleihung der Nobelpreise von 2003 die Action-Komödie »Mexican« in der ARD ihre deutsche Free-TV-Premiere hatte, verrieten die Fernsehzeitungen, dass Julia Roberts als Gage 20 Millionen Dollar kassiert hatte, Brad Pitt »nur« die Hälfte, also zehn Millionen. Einer der seltenen Fälle, in denen die Frau mehr Geld verdiente als der Mann. Doch selbst seine Gage betrug noch fast das Zehnfache des Nobelpreises! Aber es geht noch teurer. Für die Rolle der Kunstgeschichtslehrerin Katherine Watson in »Mona Lisas Lächeln«, der im Januar 2004 in die deutschen Kinos kam, erhielt Julia Roberts 25 Millionen. Das war die höchste Gage, die eine Schauspielerin bis dahin jemals bekommen hatte. Mit gutem Grund: Ihre erfolgreichsten Filme schwemmten allein in den USA weit mehr als eine Milliarde in die Kassen. Auch der neue Film sprang wieder an die Spitze der Kinocharts.

Grandiose, von keiner anderen erreichte Schauspielkunst? Ihre Begabung allein genügt nicht, um ihren Vorsprung vor allen anderen Talenten zu erklären. Sie führte außerdem ein verrücktes, chaotisches Privatleben, das sie immer wieder in die Klatschspalten brachte und so für ihre Filme warb. Ihr entscheidendes Plus liefert jedoch ihre äußere Erscheinung. Es ist vor allem das breite Lächeln von Julia Roberts' großem Mund, das die Zuschauer in Scharen vor die Leinwand lockt. Im Film »Mary Reilly« – einer Neuauflage der Story von Doktor Jekyll und Mister Hyde – hatte sie als unscheinbare Haushälterin in keiner Szene was zu lachen. Es wurde ihr größter Flop.

Diese Summen für eine schöne Hauptdarstellerin sind in Hollywood keine Ausnahme. Sharon Stone erhielt zum Beispiel für die Fortsetzung von »Basic Instinct« 14 Millionen. Nicht für ihren IQ von 154, sondern weil sie auf der Leinwand eine gute Figur abgibt. Demi Moore erhielt für »Striptease« 12,5 Millionen. Der Film erwies sich als Riesenflop. Wer noch Zweifel haben sollte, dass die Honorare etwas mit dem Aussehen der Showbiz-Millionäre zu tun hat, werfe einen Blick auf die Models. Eva Herzigova war 1994 die erste »Miss Wonderbra« und erhielt dafür 7,5 Millionen Dollar. Sieben Millionen brachten Cindy Crawford fünf Jahre Revlon-Werbung ein. Für weniger als 10 000 Dollar am Tag würde sie gar nicht erst aus dem Bett steigen, hatte Supermodel Linda Evangelista einmal gesagt. Und das Beste – auch eine Newcomerin kann schon richtig abkassieren, wenn sie bei einer renommierten Agentur unterkommt. Die amerikanische Agenturbesitzerin Eileen Ford erzählte: »Einer Anfängerin winkt ein Dreijahresvertrag, der mit einer viertel Million Dollar dotiert ist. Besser als Baby-sitting, nicht wahr?«

Wie sich eine schöne Fassade bezahlt macht

Halten Sie die Superhonorare für ungerecht? Sie folgen streng den Gesetzen der Marktwirtschaft. Nach Schönheit besteht eine höhere Nachfrage als nach Wissen. In einer raffiniert organisierten Werbekampagne bringen die Models ein Vielfaches von dem ein, was sie kosten.

Wenn die Werbeagenturen prominente Sportlerinnen für ihre Anzeigen fotografieren – weshalb wohl wählen sie ausgerechnet Franziska van Almsick und Katharina Witt aus? Warum keine andere Schwimm- oder Eiskunstlaufweltmeisterin? Im Interview behauptete Katharina Witt: »Die innere Haltung und Erfahrung, die er ausstrahlt, machen einen Menschen schön.« Sollte ihr Promistatus und ihr Vermögen von über 150 Millionen Euro nichts mit ihren körperlichen Vorzügen zu tun haben?

Glaubt irgendwer, Britney Spears und Christina Aguilera hätten die Hitparaden gestürmt, weil sie besser singen können als andere? Sängerinnen haben ein komfortables Leben, wenn sie sich über Sex verkaufen, sagte die junge und schöne Soul-sängerin Alicia Keys im Sommer 2005 bei einem Fotoshooting für die Zeitschrift *Brigitte*. »Probleme bekommst du, wenn du Stereotypen durchbrechen willst.«

Schauspielerin Catherine Zeta-Jones enthüllte in einem Interview, wie sie 1998 den Sprung von einer TV-Serie zum Hollywoodstar schaffte: »Je ungepflegter, desto seriöser im Beruf? Größeren Bullshit als dieses Kunst-Klischee habe ich nie gehört. Ganz im Gegenteil hatte ich zu Beginn meiner Hollywood-Zeit einen Agenten, der mir riet, kein Make-up zu tragen und ein wenig verwahrlost zu Castings zu erscheinen.

Ich tat, wie mir geheißen – und erntete nur schiefe Blicke statt eines einzigen Jobs. Also feuerte ich den Agenten. Und bekam kurz danach die Rolle in ›Zorro‹. Mit Make-up und Bombenfrisur.«

Neben ihrer Filmkarriere modelte sie für den Kosmetikkonzern Elisabeth Arden. Von Marilyn Monroe bis Sharon Stone, von Uma Thurman bis Milla Jovovich – zahllose weibliche Stars verkauften zuerst ihr schönes Aussehen an Fotoagenturen, bevor ihnen der Sprung zum Film gelang. Männer ebenso. Mark Wahlberg begann als Unterhosen-Model für Calvin Klein. Es folgten Filme wie »Der Sturm« und »The Italian Job«. Arnold Schwarzenegger begann als »Mr. Universum«. Bereits Sean Connery warf sein Aussehen in die Waagschale, um nach Hollywood zu gelangen. Er versuchte sich zuerst als Profifußballer und Bodybuilder. Auch er erreichte im Wettbewerb um den Titel »Mr. Universum« einen der vorderen Plätze. Das war 1950. Als singender Seemann gelangte er wenig später zum Film. Seither wurde er für seinen Sexappeal bewundert und noch mit 59 Jahren vom *People Magazine* zum Sexiest Man Alive gewählt.

Die Spitzengagen erreichen freilich nur wenige. Aber das gilt auch für die Nobelpreise. Schlimmer noch: Wenn ein Wissenschaftler den Nobelpreis erhält, krönen die Juroren ein 40 Jahre oder länger währendes Forscherleben. Dem so Geehrten bleiben meist nicht mehr viele Jahre, um sein Glück zu genießen. Die Schönen erhalten ihre Auszeichnungen in jungen Jahren. Sie dürfen sich noch viele Jahrzehnte ihres Ruhmes und ihrer Millionen erfreuen. Ist es da ein Wunder, wie viele Teenager von einer Model-, Schauspiel- oder Sängerkarriere träumen? Und wie wenige von einem weißen Kittel und einem sterilen Labor?

Was ist eigentlich körperliche Schönheit?

Liegt Schönheit nicht allein im Auge des Betrachters? Keine Frage, die Geschmäcker sind verschieden. Stellen Sie sich zwei Männer vor, die über Schönheit diskutieren. Der eine steht auf mollige Blondinen, der andere auf schlanke, schwarzgelockte Brasilianerinnen. Trotzdem versteht jeder der beiden, was der andere meint, wenn er das Wort »schön« ausspricht. Es muss also hinter den verschiedenen Geschmäckern etwas Gemeinsames stecken.

Der Philosoph Immanuel Kant schrieb schon 1796, Schönheit beruhe auf dem Mittelmaß. Und wie findet man dieses mittlere Maß heraus? Auch darauf hatte Kant eine Antwort. Indem man sich daranmacht, »... ein Bild gleichsam auf das andere fallen zu lassen, und, durch die Kongruenz der mehreren von derselben Art, ein Mittleres herauszubekommen wisse, welches allen zum gemeinschaftlichen Maße dient«.

Aus Einzelbildern ein Durchschnittsbild erstellen! Kant hatte noch keine Möglichkeit, seine Idee praktisch zu überprüfen. Das gelang erst Francis Galton, einem Cousin Darwins, im Jahre 1878. Der unkonventionelle Privatgelehrte hatte auf vielen Gebieten Neuland beschritten. Er verglich als Erster Zwillinge mit einzeln Geborenen, um erbliche Unterschiede in der Intelligenz zu erforschen. Ihm verdankt die Kriminalistik die Kunst, Menschen durch Fingerabdrücke zu identifizieren. Und er nutzte die damals neue Technik der Fotografie, um menschliches Mittelmaß zu erzeugen. Zu diesem Zweck belichtete er mehrere Porträtaufnahmen übereinander und erhielt ein verwaschenes Durchschnittsbild, das sowohl attraktiver als auch vertrauenswürdiger wirkte als die Ausgangsfotos.

Kam der verschönernde Effekt vielleicht bloß durch die Unschärfe zustande? So wie in einem berühmten Loriot-Cartoon? Da sieht ein extrem kurzsichtiger Mann, wie sich neben ihm auf seiner Bank die Umrisse eines weiblichen Wesens niederlassen. Er setzt seine Brille auf und erblickt eine griesgrämige Witwe Bolte. Erschrocken reißt er sich die Brille von der Nase. Angesichts der wieder verschwommenen Gestalt entspannen sich seine Gesichtszüge.

Zum Glück erlaubt die moderne Computertechnik heute Durchschnittsbilder herzustellen, die genauso scharf und lebensecht aussehen wie die Originale. Claus Marberger, Martin Gründl, Christoph Braun und Christoph Scherber von der Universität Regensburg haben die Sache überprüft. Sie fotografierten 64 Frauengesichter und 32 Männergesichter, 17 bis 29 Jahre alt. Unter ihnen acht Fotomodelle. Diese Bilder und aus ihnen erzeugte Durchschnittsgesichter legten sie rund 500 Versuchspersonen und einer Modelagentur zur Beurteilung vor. Dabei fanden sie heraus:

Künstliche Durchschnittsgesichter wirken in der Tat attraktiver als die fotografierten Einzelgesichter. Je mehr Einzelgesichter in das Kunstgesicht eingehen, desto schöner wirkt es. Der Grund: Unregelmäßigkeiten in den Gesichtsproportionen, aber auch der Haut (Falten, Pickel) verschwinden.

Das klappt nicht nur bei unauffälligen Leuten wie vielleicht Sie und ich. Auch die Attraktivität von Ausnahmeschönheiten lässt sich so noch steigern. Die Forscher machten sich den Spaß, aus den 22 Endrunden-Kandidatinnen der »Miss Germany«-Wahl 2002 am Computer ein Durchschnittsgesicht zu bilden. Ergebnis: Nicht die Gewinnerin des Wettbewerbs, Miss Berlin, sondern das künstliche Wesen der Regensburger Softwarebastler war die schönste. Und zwar mit Riesenvorsprung. Kein einziger der 47 Beurteiler setzte eine der realen Missen auf Platz 1. Auf einer Skala von 1 für hässlich bis 7 für makellos schön errang die künstliche Durchschnittsschöne 6,2 Punkte. Die Miss Germany aus Berlin kam nur auf Platz 2 mit lediglich 2,8 Punkten.

Die Experten von der Modelagentur sollten entscheiden,

welches von allen vorgelegten Gesichtern für eine Karriere als
»Beauty« infrage käme – ohne zu wissen, welches der Fotos
ein echtes und welches ein künstliches Durchschnittsgesicht
abbildete. Nur 2 der 16 ausgewählten Schönheiten existierten
in der Realität. Die übrigen 14 waren künstlich!

Es ist nicht die Symmetrie allein, die ein schönes Antlitz erzeugt. Zwar machen starke Unregelmäßigkeiten ein Gesicht
hässlich. Aber die Umkehrung gilt nicht: Hohe Symmetrie
ist noch kein Garant für Schönheit. Einige sehr regelmäßige
Gesichter wirkten nicht besonders attraktiv. Stattdessen fielen
den Beurteilern immer wieder einzelne Schönheiten auf, die
trotz einiger Asymmetrien ausgesprochen anziehend wirkten.

Es genügt also nicht, alle individuellen Unterschiede zum
Verschwinden zu bringen. Was auch logisch ist. Sonst gäbe es
ja nur ein einziges wahrhaft attraktives Gesicht, das mit dem
absoluten Mittelmaß identisch ist. Wir kennen aber mehr als
ein berühmtes Supermodel, das als makellose Schönheit gilt.
Unterschiedliche Epochen und Kulturen haben zudem unterschiedliche Frauentypen verehrt. Mal waren sie dünn und
groß, mal klein und wohlbeleibt. Auch die berühmte Kleo-
patra soll nach heutigen Maßstäben eher füllig und gerade
mal 1,50 Meter groß gewesen sein. Das fanden Experten des
British Museum in London bei der Zuordnung von Statuen
heraus, die Ägyptens bekannteste Herrscherin darstellen. Andererseits gilt uns das Gesicht ihrer Vorgängerin Nofretete immer noch als Verkörperung ewiger Schönheit. Auch die Venus
von Milo aus dem Pariser Louvre würde wohl kein Mann von
der Bettkante stoßen, wenn sie plötzlich leibhaftig in seinem
Schlafzimmer auftauchte.

Das konnte der Psychologe Michael Cunningham von der
Universität von Louisville in Kentucky im Experiment be-
stätigen. Mit drei Kollegen ließ er Angehörige verschiedener
Völker Porträtfotos nach ihrer Schönheit einschätzen. Asiaten,
Schwarze und Weiße zeigten eine große Übereinstimmung in

ihrem Urteil, welche Frauen aller drei Rassenkreise gut aussahen und welche nicht.

Auch Kant ahnte bereits, dass mehr dazu gehört als Eben-
mäßigkeit. Er schrieb: »Das Mittelmaß scheint das Grundmaß
und die Basis der Schönheit, aber noch lange nicht die Schönheit selbst zu sein, weil zu dieser etwas Charakteristisches er-
forderlich wird.«

Liefert der goldene Schnitt ein universelles Schönheitsideal?

Ideale werden nur selten verwirklicht. Dennoch ist ihre Wirkung enorm. Das kennen wir vom Einkaufen. Nur weil Sie eine
Vorstellung vom idealen Preis einer Ware haben, können Sie
einschätzen, ob der reale Preis am Regal angemessen ist oder
nicht. Ähnlich steht es mit der Schönheit. Nur weil wir ein
Idealbild im Kopf haben, können wir Abweichungen erkennen. Zuerst haben bildende Künstler der Antike ideale Proportionen für ihre Statuen vermessen. Später ergänzten Maler
wie Leonardo da Vinci oder Albrecht Dürer diese Angaben
durch anatomische Studien. Computerauswertung und verfeinerte Messungen haben das überlieferte Wissen ergänzt.

Seit alters her gilt der goldene Schnitt als das klassische Maß
der Schönheit. Was ist damit gemeint? Denken Sie sich zwei
beliebige positive Zahlen aus, etwa 8 und 11. Addieren Sie beide: 19. Addieren Sie zu der erhaltenen Summe (19) die größere
der beiden Ausgangszahlen (11) dazu: 19 + 11 = 30. Zu dieser
vierten Zahl addieren Sie jetzt die dritte: 30 + 19 = 49. Zu dieser fünften die vierte: 49 + 30 = 79. Und immer so weiter, etwa
zwanzigmal.

Jetzt kommt der entscheidende Schritt. Die zwanzigste Zahl
addieren Sie nicht mehr, sondern teilen Sie durch die zuvor er-
haltene neunzehnte Zahl. In unserem Beispiel wäre das: 66 663

geteilt durch 41 200. Das Ergebnis lautet 1,6180339805 … Mit welchen Zahlen Sie die Rechnung auch starten und wie lange Sie auch addieren, bevor Sie Ihre letzte durch die vorletzte Zahl teilen: Stets erhalten Sie eine unendliche Dezimalzahl von nicht ganz 1,62 – die goldene Zahl Phi.

Der Legende nach soll sie als Erster der griechische Mathematiker Hippasos von Metapont um 450 vor Christus mit dem eben genannten Verfahren errechnet haben. Seine Entdeckung hat die Schüler des Pythagoras so erzürnt, dass sie Hippasos aus Rache im Meer ertränkten. Denn nach der Lehre der Pythagoräer durfte es nur natürliche Zahlen (1, 2, 3, 4 …) geben und deren Brüche wie $\frac{1}{3}$, die als regelmäßige unendliche Dezimalzahlen (0,33333 …) geschrieben werden können. Die Entdeckung der Zahl Phi war in ihren Augen ein Sakrileg. Sie besaß unendlich viele Stellen nach dem Komma, die sich nicht wiederholten. Der schlimmste Frevel aber war: Hipparsos hatte als Ausgangszahlen die Längen der Diagonalen und Seiten des fünfzackigen Sterns – des Pentagramms – gewählt, dem heiligen Erkennungszeichen der Pythagoräer.

In der Natur finden Sie den goldenen Schnitt auf Schritt und Tritt. Zum Beispiel stehen die Knotenpunkte der Stängel von Pflanzen in diesem Abstand zueinander. Wenn wir die Zahlen unseres Rechenbeispiels zugrunde legen, heißt das: Ist die Pflanze 7,9 Zentimeter hoch und hat vier Stängel, so entsprießt einer nach 0,8, einer nach 1,1, der nächste nach 3 und der letzte nach 4,9 Zentimetern. Auch im schneckenähnlichen Gehäuse des urtümlichen Tintenfisches Nautilus haben Forscher den goldenen Schnitt wiedergefunden, ja sogar in Hurrikans und entfernten Galaxien.

Zahlreiche Architekten haben die Proportionen ihrer Gebäude nach der Zahl Phi entworfen. Leonardo da Vinci soll sie in den Gesichtszügen seiner Mona Lisa berücksichtigt haben. Sein Freund Luca Pacioli veröffentlichte 1509 eine dreibändige Abhandlung über den goldenen Schnitt.

Stephen R. Marquardt, Experte auf dem Gebiet der plastischen Chirurgie, hat für Schönheitschirurgen ein Modell des idealen Gesichts nach den Regeln des goldenen Schnitts erstellt.

Die Maße des klassischen Schönheitsideals

Der goldene Schnitt ist jedoch nicht alles. Zum klassischen weiblichen Schönheitsideal gehören unter anderem auch:

- Die Länge des Kopfes beträgt ein Siebtel der gesamten Körperlänge.
- Die Beine sind halb so lang wie der ganze Körper.
- Das Verhältnis der Taille zur Hüfte sollte 0,7 zu 1 betragen.
- Die beiden Brustwarzen und der Bauchnabel bilden ein gleichseitiges Dreieck, das heißt, die Abstände zwischen diesen drei Punkten sind gleich groß.
- Linke und rechte Körper- und Gesichtshälfte sind symmetrisch. Das bedeutet: Man fotografiere nur die linke Hälfte des Körpers und ergänze die rechte durch Spiegeln der linken. Dann fotografiere man die rechte Seite und ergänze sie durch Spiegeln der linken. Bei der idealen Schönheit sehen beide Bilder wie eineiige, absolut identische Zwillinge aus. Bei realen Menschen unterscheiden sie sich.
- Das ideale Gesicht kann in drei gleich lange Zonen eingeteilt werden: vom Haaransatz zur Oberkante der Augenwimpern, von dort zur Unterkante der Nase und von ihr bis zum Kinn.
- Der Abstand von der Mundmitte zum Kinn beträgt ein Fünftel der gesamten Gesichtslänge.
- Der Abstand zwischen den Augen beträgt drei Zehntel der Breite des gesamten Gesichts in Augenhöhe.
- Der Abstand zwischen Iris und Augenbraue beträgt ein Zehntel der gesamten Gesichtslänge.

- Der lächelnde Mund ist halb so breit wie das Gesicht in Mundhöhe.
- Die ideale Nase ist gerade und an der Spitze leicht nach oben gebogen. Sie darf höchstens fünf Prozent der gesamten Gesichtsfläche einnehmen. Ihre Schräge bildet einen Winkel von 35–40 Grad. Zur Oberlippe bildet die Nase einen Winkel von 105–110 Grad.

Dieses Ideal mit allen seinen Einzelheiten kommt in der Wirklichkeit praktisch nie vor. Ist das nicht erstaunlich? Der Durchschnitt aller Menschen existiert nur in der Phantasie und in Computersimulationen, aber nicht in der Natur. Es ist vielleicht der einzige Fall, in dem das Normale zugleich das Seltenste ist. Warum ist das so?

Wie erstrebenswert ist dieses Ideal?

Die Lösung des Rätsels finden wir, indem wir folgende Frage beantworten: Wäre es sinnvoll – zum Beispiel für professionelle Models – mit den Mitteln der Schönheitschirurgie den Körper nach diesem Ideal umzuformen? Nein. Denn eine lohnenswerte Verbesserung erzielen nur Personen, die sehr asymmetrisch gebaut sind. Deren Gesicht und Figur extrem unproportioniert wirken. Doch auch sie erreichen vermutlich mehr mit ein paar geschickt gestylten Kleidungsstücken als mit einer Serie schmerzhafter und risikoreicher Operationen.

Wer dagegen schon gut aussieht, könnte sein Aussehen mit einer Operation sogar verschlechtern. Verschiedene Wissenschaftler, wie zum Beispiel der Wiener Verhaltensbiologe Karl Grammer, haben herausgefunden, dass eine leichte Asymmetrie von ein bis zwei Prozent attraktiver wirkt als absolutes Gleichmaß. Erst wenn die Abweichung sieben Prozent übersteigt, beeinträchtigt sie die Schönheit. Das entspricht auch den Daten der Regensburger Forscher. Einige Gesichter wirken trotz leichter Asymmetrien märchenhaft schön, während manch vollkommen regelmäßiges Antlitz die Betrachter gleichgültig ließ.

Ähnliches gilt für den goldenen Schnitt. Mark Lowey vom University College Hospital in London vermaß 1994 die Gesichter von Models. Ihre Proportionen kamen dem goldenen Schnitt näher als der Rest der Bevölkerung. Doch als sein Kollege Alfred Linney 2003 die Messungen mittels Lasertechnik verfeinerte, fand er: Auch Models weichen vom Idealmaß ab.

Dafür gibt es einen Grund. Totales Ebenmaß wirkt langweilig. Perfekte Schönheit besitzt keine Individualität. Sie verfügt über kein einziges, für die Person charakteristisches Merkmal. Sie hat nichts, was sich dem Gedächtnis einprägen kann. Die Folge: Die absolute Schönheit wird sofort wieder vergessen. Nur was vom Mittelmaß abweicht, was sich von anderen unterscheidet, bleibt in der Erinnerung haften. Um dies zu überprüfen, brauchen Sie nur einen Modekatalog durchzublättern. Je ähnlicher sich die Models sind, desto schlechter können Sie sich hinterher an sie erinnern. Irgendwie sahen sie alle gleich aus.

Das ist übrigens beabsichtigt. Die Produzenten des Katalogs wollen Kleider verkaufen – nicht ihre Models. Wenn Sie die Mädchen vergessen haben, aber sich an die Garderobe noch erinnern, hat die Werbekampagne ihr Ziel erreicht. Im Interesse der Models und ihrer Agenturen liegt das nicht. Denn wenn alle gleich aussehen, warum soll der Werbefotograf dann eine bestimmte bevorzugen? Er zieht einfach die Billigste aus einem Lostopf. Folglich möchten die Mädchen schon unterscheidbar sein. Am besten durch eine Abweichung vom Durchschnitt, die ihre Schönheit unterstreicht, statt sie zu schmälern.

In diesem Ziel liegt das Geheimnis aller Schönheitskuren und rätselhaften Ausstrahlungen. Supermodel Cindy Crawford hatte es relativ einfach. Sie verfügt über einen kleinen

Leberfleck über der Oberlippe. Am Anfang ihrer Karriere dachte sie daran, ihn entfernen zu lassen. Inzwischen ist er ihr Erkennungs- und Erfolgszeichen.

Extreme jenseits des unauffälligen Durchschnitts sind auch der Grund, warum Frankensteins Monster, King Kong und der Glöckner von Notre-Dame so beliebt sind. Sie sind leicht wiederzuerkennen. Klemmen Sie sich zum Karneval zwei lange Eckzähne ins Gebiss und werfen Sie sich einen schwarzen Umhang über Ihre Schulter. Schon weiß jeder: Aha, Dracula.

Denn es stellt sich die Frage: Warum hat uns die natürliche Evolution nicht alle mit mustergültiger Schönheit ausgestattet? Wäre sie nicht für die Weitergabe unserer Gene vorteilhaft gewesen? Warum ist unser Aussehen mit so vielen Fehlern behaftet? Die Antwort lautet: Das Ziel makelloser Schönheit stand im Konflikt mit Wiedererkennbarkeit und Individualität.

Bleibt die Frage zu beantworten: Warum bewerten wir dann überhaupt das Mittelmaß als schön? Und nicht die Abweichung? Warum empfinden wir Extreme – einen Buckel, ein Riesenkinn, mit Pusteln übersäte Haut oder verkümmerte Gliedmaßen – als monströs?

Vom Nutzen der Schönheit

Heringe, Singvögel, Antilopen und viele andere Tierarten leben in Herden oder Schwärmen. Nicht aus Sympathie füreinander, sondern zum Selbstschutz. Die Masse gleich aussehender Artgenossen verwirrt Haie, Adler, Löwen und andere Raubtiere. Es fällt den Räubern schwer, ein einzelnes Opfer herauszupicken, wenn alle gleich aussehen. Sie greifen deshalb Tiere an, die sich durch irgendwelche Äußerlichkeiten von der Masse abheben. Meist Kranke oder Jungtiere. Der Biologe Hans

Kruuk führte 1972 in der Serengeti den Beweis: Wenn man ein einzelnes Tier in einer Herde mit Farbe markiert, wird es beim nächsten Angriff garantiert getötet.

Auch unsere urzeitlichen Vorfahren lebten in Gruppen und waren nicht nur Jäger, sondern auch die Beute von Löwen und Säbelzahntigern. Wer da vom Durchschnitt abwich, besaß schlechte Karten, wenn ein Raubtier sich auf die Horde stürzte. Wer hingegen ebenmäßig aussah, hatte gute Chancen, in der Masse zu verschwinden und sämtliche Attacken zu überleben. Und das machte ihn oder sie attraktiv für die Familiengründung. So entstand die Macht der Schönheit.

Bereits Darwin vermutete noch einen zweiten Grund: Schönheit enthüllt Gesundheit. Wir bevorzugen Partner, mit denen wir gesunde Kinder zeugen können. Statt den oder die Zukünftige(n) einem medizinischen Check zu unterziehen, gehen wir davon aus, dass eine wahre Schönheit über robuste Erbanlagen verfügt.

Dass ein Buckel oder unreine Haut körperliche Störungen anzeigen, ist ja noch einzusehen. Aber warum soll eine Miss Germany gesünder sein als eine Miss-Gestalt? Bevorzugen wir gleichmäßige Gesichter nur deshalb, weil wir sie schneller und leichter wahrnehmen können? Anthony Little und seine Kollegen von der Universität St. Andrews in Schottland konnten kürzlich zeigen, dass diese Vermutung falsch ist. Stellt man die Gesichter auf den Kopf, werden symmetrische nicht mehr bevorzugt. Obwohl unser Auge sie immer noch leichter erkennen kann.

Dagegen zeigen Studien, dass die Symmetrie dort am größten ist, wo in der Entwicklung vom Mutterleib bis zum Erwachsenen die wenigsten Störungen auftreten. Ein typisches Beispiel liefern Krankheitserreger. Die Biologen William Hamilton und Marlene Zuk konnten 1982 bei Vögeln erstmals nachweisen: Je höher der Parasitenbefall und die Zahl der Infektionen, desto stärker die Abweichungen von der perfekten Symmetrie.

Oder im Umkehrschluss: Je stärker das Immunsystem, desto symmetrischer der Körperbau. Eine gleichmäßige, gesunde körperliche Entwicklung bringt schöne Gesichtszüge hervor. Hautunreinheiten sind übrigens genauso verräterisch. Selbst Profis – also Hautärzte – vermuten hinter einer Überzahl von Warzen und Pickeln eine geschwächte Immunabwehr. Bakterien, Viren und Pilze hatten es leicht, den Säureschutzmantel der Haut zu durchdringen.

Abweichungen vom Durchschnitt sind häufig ein Hinweis auf abweichende Mutationen, also Fehler beim Ablesen der Erbinformation. Über 90 Prozent aller Mutationen sind schädlich. Es gibt jedoch einen Mechanismus, der schädliche Mutationen unterdrückt: Mischerbigkeit. Paaren sich zwei Individuen, die über unterschiedliche Gene verfügen, trägt bei ihrem Kind in aller Regel das gesunde Gen den Sieg davon, einfach weil es besser funktioniert. Stark abweichendes Aussehen gilt von alters her deshalb auch als Anzeichen für Inzucht. Wer eine ebenmäßige Gestalt als schön empfindet, bevorzugt gut durchmischte Erbanlagen.

Kein Wunder also, dass die Körperteile, auf die wir beim anderen Geschlecht achten, Brüste, Augen und Pobacken sind. Sie weisen besonders auffällige Symmetrien auf. Nicht nur bei Frauen. Nach einer Umfrage der *Cosmopolitan* schauen Frauen zu 39 Prozent beim Mann auf einen knackigen Po, aber nur zu ein Prozent auf starke Muskeln.

Macht Schönheit einsam?

Ricky Martin, Star des Latinopop, gilt als Sexsymbol. Auf die Frage, ob er sich nicht geschmeichelt fühle, antwortete er: »Allerdings ist es fürchterlich oberflächlich, und das Schlimmste ist, dass man selbst als oberflächlich abgestempelt wird. Viele Leute packen mich in diese Schublade, obwohl sie noch nie mit mir gesprochen haben. Insofern kann gutes Aussehen auch manchmal zum Hindernis werden.«

Schöne Menschen leiden vermehrt unter dem Eindruck, nur wegen ihres Aussehens und nicht wegen ihres Charakters und ihrer Kompetenz geschätzt zu werden. Zwar fühlen sich mehr Frauen von diesem Vorurteil betroffen, aber schöne Männer leiden stärker. Es entspricht nicht ihrer traditionellen Geschlechterrolle, mit ihrem Aussehen zu punkten.

Sind ihre Klagen berechtigt? Nein. Wie wir es auch drehen und wenden – die Schönen dieser Welt haben es leichter im Leben. Schon im Säuglingsalter geht es los. Hübsche Babys werden eher und häufiger auf den Arm genommen. Ihre Bedürfnisse finden vorrangig Beachtung vor denen anderer Kinder. Das zeigte die amerikanische Psychologin Judith Langlois in mehreren Studien. Nicht nur professionelles Betreuungspersonal macht Unterschiede nach dem Aussehen, auch die Mütter selbst. Je süßer ihr Baby, desto öfter wird seine Mama es küssen und herzen. Auch der Vater ist leichter zu überreden, sich an der Kinderpflege zu beteiligen, wenn der Sprössling seiner Lenden ansehnlich ist.

Kanadische Forscher beobachteten Anfang 2005 das Verhalten von Eltern in Supermärkten. Eigentlich interessierten sie sich nicht für Schönheit, sondern untersuchten die Sicherheit von Einkaufswagen. Dabei bemerkten sie jedoch etwas Merkwürdiges. Nur in 1,2 Prozent der Fälle setzten die Eltern ein unansehnliches Kind in den Sitz des Einkaufswagens. Hübsche Kinder kamen in 13,3 Prozent der Fälle in den Genuss dieses Privilegs. »Die meisten Eltern werden auf unsere Ergebnisse schockiert und bestürzt reagieren«, sagte Studienleiter Andrew Harrell. »Sie werden sagen, dass sie alle ihre Kinder lieben und keines aufgrund von Äußerlichkeiten benachteiligen – der Punkt unserer Studie ist allerdings, dass sie es doch machen.«

Auch der Geschlechtsunterschied ist in diesem frühen Alter

schon spürbar. Das schöne Geschlecht – also die hübschen kleinen Mädchen – empfangen mehr Liebkosungen, und seien die Buben noch so niedlich. Das zeigen Studien an sechs Monate alten Säuglingen und ihren Eltern.

Auch die Babys selbst schauen lieber in hübsche Gesichter. Die Fähigkeit, Menschen an Augen, Mund und Nase zu unterscheiden, erlernen sie schon in den ersten Lebensmonaten. Zur gleichen Zeit beginnen sie, attraktive Gesichter zu bevorzugen. Das hat der britische Psychologe Alan Slater von der Uni Exeter nachgewiesen. Er zeigte 100 Neugeborenen je zwei Fotos: ein attraktives und ein wenig attraktives Gesicht. Schon im Alter von zwei bis drei Monaten schauen die Babys die schönen Bilder länger an, und zwar bis zu 80 Prozent der Zeit. Lange bevor sie von ihren Eltern lernen können, was hübsch und was hässlich ist, wissen ihre Augen bereits Bescheid. Um ihren ersten Geburtstag herum spielen die kleinen Racker nicht nur mit hübschen Spielkameraden eifriger und ausdauernder, sondern übertragen diese Vorliebe auch auf ihr Spielzeug. Stehen eine hübsche und eine eher unansehnliche Puppe zur Auswahl, zeigen sie eine eindeutige Vorliebe für erstere.

Im Vorschulalter können sie genau Auskunft geben, welche von ihren Spielkameraden netter und hübscher sind. Sie freunden sich lieber mit den von der Natur bevorzugten Kindern an. Die Psychologin Karen Dion hat Kinder befragt, die neu in den Kindergarten kamen. Sie fand bei ihnen eine erstaunliche Urteilssicherheit, die bereits allen gängigen Klischees entsprach. Die Neuankömmlinge hielten die attraktiveren Kinder auf den ersten Blick für netter, klüger und selbständiger. Sie zeigten sich sogar überzeugt, dass die Hässlicheren – vor allem, wenn es sich um Jungen handelte – die Schlägertypen der Gruppe und weniger kontaktfreudig waren. Ist es da ein Wunder, dass ansehnliche Teenager leichter Kontakte schließen, mehr Freunde haben und eher Hilfe angeboten bekommen, wenn sie Unterstützung benötigen? Ihre Lehrer mögen die Intelligenten mehr respektieren – aber sie haben die Gutaussehenden lieber und geben ihnen bei gleicher Leistung bessere Noten.

Wie Schönheit uns blendet

Lernen wir als Erwachsene aus dieser Erfahrung und misstrauen dem schönen Schein? Durchaus nicht. Ärzte beweisen bei ihren Patienten umso mehr Geduld, je besser sie aussehen. Personalchefs beurteilen die attraktiveren Bewerber besser und bieten ihnen höhere Gehälter an. Eine Untersuchung der Londoner Guildhall University an 11 000 Arbeitnehmern ergab: Wer gut aussieht, verdient 15 Prozent mehr – sofern er ein Mann ist. Schöne Frauen erhalten »nur« elf Prozent mehr Geld als unauffällige Kolleginnen. In einigen Fällen konnten Schönheitsmakel direkt in Gehaltsverluste übersetzt werden. So schmälert bei männlichen US-Managern jedes Kilo Übergewicht das jährliche Einkommen um 1000 Dollar. Bei Frauen macht sich der Schönheitsbonus finanziell erst bemerkbar, wenn sie fest in ihrem Job etabliert sind. Dann kann ihr jeder Attraktivitätspunkt mehr als 2000 Dollar im Jahr einbringen, fanden 1993 Daniel Hamermesh und Jeff Biddle vom amerikanischen National Bureau of Economic Research heraus. Über alle Berufsgruppen verteilt, verdienten im gleichen Jahr in den USA gut aussehende Arbeitnehmer beiderlei Geschlechts mindestens fünf Prozent mehr als diejenigen, deren Aussehen man als durchschnittlich beurteilte.

Sogar vor Gericht macht sich Schönheit bezahlt. In Pennsylvania verglichen Forscher die Attraktivität von 74 Angeklagten mit den Strafen, die sie erhielten. Wer gut aussah, erhielt für das gleiche Delikt nur halb so viel Gefängnis oder Geldbußen aufgebrummt. Allerdings mit einer aufschlussreichen Ausnahme: War das Delikt mit Hilfe des guten Aussehens zustande gekommen – Heiratsschwindler und andere Betrüger –, so fielen die Strafen drakonisch aus. Unansehnlichen Schwindlern hielten die Richter dagegen die Leichtgläubigkeit ihrer Opfer zugute. In der Haft und danach haben es die hässlichen Delinquenten schwerer als die schönen. Der amerikanische Soziologe Robert Agnew von der Emory Universität vermutet, manche würden nur deshalb kriminell, weil sie sich selbst für hässlich hielten. Er stellte fest, dass Jungen, deren Aussehen als durchschnittlich bis schlecht bewertet wurde, eher unsoziales Verhalten an den Tag legten als solche, die als »gut aussehend« galten. Das führt zu recht seltsamen Überlegungen. Wenn sich ein schöner Haftentlassener leichter wieder ins normale Leben eingliedern lässt – wäre da eine Schönheitsoperation nicht eine bessere Rehabilitierungsmaßnahme als die Unterstützung durch Sozialarbeiter? Ende der sechziger Jahre ist diese Alternative in Amerika mit Erfolg ausprobiert worden.

Wenn Sie also schön und trotzdem einsam sind, kann es nur an Ihrer eigenen Scheu liegen, Ihr Aussehen auszunutzen. Denn alle Studien zeigen, dass Sie umso leichter Kontakte und Zuneigung finden werden, je besser Sie aussehen.

Schöne sind netter – nur ein Vorurteil?

Ob sich jemand freundlich benimmt, ist doch wohl eine Frage des Charakters? Sind schöne Leute nicht sogar eher hochnäsig und bewundern vor allem sich selbst? Durchaus nicht. Psychologen haben diese Frage dutzendfach überprüft und kamen immer zu demselben Resultat: Äußerlich attraktive Menschen haben meist auch den attraktiveren Charakter. Wer als Baby schon mehr Zuwendung, Streicheleinheiten und Lob erhielt, erlitt weniger Frustrationen. Eltern, Großeltern, Lehrer und Arbeitgeber – alle legten den schönen Jugendlichen quasi einen roten Teppich vor die Füße, den sie bloß noch zu beschreiten brauchten. Sie erfuhren von Anfang an, dass man ihnen mehr zutraut als den anderen. Das verführte sie nicht etwa zur Faulheit. Denn Lob spornt an. Kinder, deren erste Versuche im Musizieren, Tanzen, Malen und Lernen Beachtung und Anerkennung finden, merken schnell, dass ihre Mühe sich lohnt. Da sie leicht Kontakte schließen, haben sie keine Mühe, Förderer zu finden. Ihre weniger wohlgestalteten Kameraden malen und lernen anfangs vielleicht genauso gut. Aber da man ihre Versuche weniger würdigt, lassen sie bald nach und verinnerlichen die Überzeugung, dass sie weniger Talent haben als das hübsche Kind neben ihnen.

Schönheit wird damit zur selbsterfüllenden Prophezeiung. Mögen anfangs die charakterlichen Voraussetzungen für den Lebenserfolg der Kinder die gleichen gewesen sein – ihr Aussehen setzt einen Auswahlprozess in Gang. Weil man schöne Kinder für fähiger hält, geben sie sich mehr Mühe, ihre Eltern und Lehrer nicht zu enttäuschen. Mit dem Ergebnis, dass sie am Ende tatsächlich die Fähigeren und Erfolgreicheren sind. Und schon Sigmund Freud wusste: »Alles, was man besitzt oder erreicht hat, jeder durch die Erfahrung bestätigte Rest des primitiven Allmachtgefühls hilft das Selbstgefühl steigern.«

Wenn Schönheit ein Anzeichen von Gesundheit ist – warum bevorzugen wir sie auch dort, wo es um den Charakter geht? Die Antwort mag uns erstaunen, ist aber deshalb nicht weniger wahr: Weil ein Schimmer ihres Glanzes auch auf uns abfärbt. Die Mitmenschen halten nicht nur die Schönen selbst, sondern auch ihre Freunde und Geliebten für liebenswürdiger, umgänglicher und selbstbewusster als den Rest der Menschheit. Das ergab eine klassische Studie von Harold Sigall und David Landy aus dem Jahre 1973. Übrigens unterliegen auch die Schönen selbst diesem Vorurteil der Angleichung. Wer sich – und sei er noch so attraktiv – mit unansehnlichen Personen in der Öffentlichkeit zeigt, muss damit rechnen, als weniger anziehend eingeschätzt zu werden als bei einem Soloauftritt.

Es gibt zwei Möglichkeiten, auf diese Ungerechtigkeit zu reagieren. Auf die Oberflächlichkeit unserer Mitmenschen schimpfen und vergessen, dass wir selber ebenfalls insgeheim schöne Menschen bewundern. Oder unser Aussehen verbessern. Das ist der Weg, den die meisten von uns wählen, mit mehr oder weniger großem Erfolg. In der Bildungselite kursiert das Bonmot: Genie ist zu ein Prozent Inspiration und zu 99 Prozent Transpiration – also Schweiß und Fleiß. Ähnliche Sprüche sind auch von Schönheitsexperten überliefert. Helena Rubinstein, Gründerin des legendären Mode- und Kosmetikkonzerns, sagte einst: »Es gibt keine hässlichen Frauen, nur faule.« Und ein französischer Cremehersteller behauptete: »Drei Zehntel der Schönheit sind angeboren, sieben Zehntel müssen täglich neu erworben werden.« Spitzenmodel Cindy Crawford begründete, warum sie auf ihren Körper besonders stolz ist: »Den habe ich durch Sport und Gymnastik selbst gestaltet, den habe ich nicht, wie meine Augen oder mein Gesicht, geschenkt bekommen.«

Warum Jugend mehr Sehnsüchte weckt
als Weisheit und Reife

Ich war einmal jung, du aber warst niemals
alt, sagte der Greis zum Jüngling, also habe
ich etwas voraus.

Gerhart Hauptmann

Aurora, die rosenfingrige Göttin der Morgenröte, verliebte sich in den Königssohn Tithonus. Kurz entschlossen entführte sie ihn aus der väterlichen Burg auf den Olymp. Sie setzte ihn vor Jupiters Thron ab. Als der Göttervater stirnrunzelnd das ungleiche Paar musterte, erbat sie sich keck für ihren Angebeteten die Unsterblichkeit. »Das ist alles?«, fragte der oberste Herrscher des Olymp.

Sie strahlte hoffnungsvoll: »Dann werden wir ewig glücklich sein.«

»Es sei dir gewährt«, entgegnete Jupiter mit einem hinterhältigen Grinsen.

Es dauerte einige Jahre, bis sie ihren Fehler erkannte. Sie hatte versäumt, für ihren Geliebten auch um ewige Jugend zu bitten. So musste Aurora machtlos zusehen, wie ihr schöner Tithonus von Jahr zu Jahr älter, grauer und runzliger wurde, während sie die mädchenhafte Göttin blieb, die sie immer gewesen war. Er schrumpfte zusammen und sprach statt mit feurigem Vibrato nur noch mit einer Fistelstimme. Nach über hundert Jahren war er so zusammengeschrumpelt, dass sie ihn im Schmuckkästlein mit sich führen konnte – eine müde Zikade, die der Tod nicht vom Fluch des ewigen Alterns erlösen konnte.

Wieso gibt es keinen Alterskult?

In meiner Schulzeit stellten wir einander die Rätselfrage: »Was ist das: Jeder will es werden, aber keiner will es sein?« Die Antwort »alt« wirft ein bezeichnendes Licht auf unseren Umgang mit den Lebensjahren. Da die Geburtenrate sinkt und immer mehr Menschen immer älter werden, müsste das Alter seinen Makel verlieren. Denn bald wird die Mehrheit zur Generation der Senioren gehören. Doch das Gegenteil ist der Fall. Wer nach seinem Alter gefragt wird, spürt die Versuchung, einige Jahre wegzuschwindeln. Unsere Großeltern feierten stolz ihre 50., 60. und weiteren runden Geburtstage. Die heutigen 50-Jährigen lassen das Fest ausfallen und behaupten, weiterhin 49 zu sein. Jung sein war noch nie so begehrt wie heute. Betagte Damen lassen sich ihre Kleider von 15-jährigen Models vorführen. Wer einen Arbeitsplatz zu vergeben hat, zieht einen 25-jährigen Bewerber einem 45-Jährigen vor. Auch wenn er selbst 55 ist. Ob es um Mode, Freizeit oder neue Jobs geht – das Alter hat sich zu einem Handicap entwickelt.

Das war nicht immer so. In Stammesgesellschaften galten die Alten als hoch geehrte Bewahrer der Tradition. Wo die meisten mit 30 Jahren schon tot waren, musste der 60-Jährige über besondere Fähigkeiten im Überlebenskampf verfügen. Alte galten daher automatisch als clever. Der römische Senat war ein Ältestenrat. (»Senat« und »Senior« haben denselben Wortstamm.) Bis vor 100 Jahren strebten junge Leute danach, möglichst schnell Reife und Altersweisheit zu erlangen. Auch äußerlich. Der mexikanische Schriftsteller Carlos Fuentes schilderte in seinem Roman »Die Heredias« die damaligen Sitten: »Vor 1914 strebte man danach, so früh wie möglich erwachsen zu werden; wir ließen uns einen Vollbart stehen, setzten uns Kneifer auf und trugen Melone, schwarze Anzüge, hohe Stiefel, steife Kragen und gestärkte Hemden. Und wer, außer Arbeitern und Bettlern, ging ohne Spazierstock und Gamaschen aus?«

Was ist schuld an der Entwertung des Alters? Schnelllebigkeit und wachsende Mobilität? Sicher, sie fördern den Jugendkult. Die Fähigkeit, schnell umlernen zu können, zählt auf einmal mehr als Lebenserfahrung. Der Hauptgrund ist aber ein anderer. Jugend ist ein seltenes Gut geworden. Waren einst die Alten knapp, sind es heute die Jungen. Seit 1950 sank in Deutschland der Anteil der unter 20-Jährigen von 33 auf knapp 20 Prozent. Mitte des Jahrhunderts werden es weniger als 15 Prozent sein. Ausgerechnet Länder mit traditionellen Kulturen, die sich an den Alten orientieren – zum Beispiel Ägypten, Algerien, Indien oder Peru –, bestehen auch heute noch zu 50 bis 70 Prozent aus jungen Menschen. In den zukunftsoffenen, dynamischen Gesellschaften Mitteleuropas und Nordamerikas sind dagegen die Alten in der Überzahl.

Was selten ist, ist hochbegehrt. Das gilt für Diamanten ebenso wie für das beste Lebensalter. Dennoch: Warum sind gerade 16-Jährige ein Jugendideal, aber nicht Sechsjährige oder 26-Jährige? Dass Jugend sich zu einer Rarität entwickelt, kann also nicht die ganze Wahrheit sein.

Warum das Mittelmaß verjüngt

Wenn Sie aus den Porträtfotos von zwei Dutzend Frauen zwischen 20 und 40 am Computer ein Durchschnittsbild erstellen – was schätzen Sie, wie alt wird das künstliche Gesicht wirken?

a. Etwa 40 Jahre
b. Etwa 30 Jahre
c. Etwa 20 Jahre
d. Etwa 15 Jahre

Antwort d ist richtig. Zum Erstaunen der Forscher wirkte das gemittelte Gesicht nicht nur schöner als seine Originale, sondern auch jünger als die Jüngste aller Beteiligten. Die erste

Erklärung der Experten für diesen verblüffenden Befund lautete: Bei dem Kunstgesicht hat der Computer sämtliche Falten weggerechnet. Sie überprüften ihre Annahme, indem sie bei einem zweiten Versuch allen Bildern die gleiche, natürliche Haut gaben. Damit verringerte sich der Effekt zwar ein wenig, aber immer noch blieb das Durchschnittsgesicht erstaunlich jung.

Vermessungen der Gesichter lieferten schließlich die Antwort. Wenn wir älter werden, verändern sich unsere Proportionen. Individuelle Tendenzen, die im jugendlichen Gesicht erst angedeutet waren, treten stärker hervor. Breite Gesichter werden noch breiter, längliche Gesichter länglicher. Nasen und Ohren wachsen umso mehr, je größer sie schon beim Teenager waren. Im Durchschnittsfoto passiert das Gegenteil. Die Extreme verringern sich. Sie gleichen sich zu einem Mittelwert hin aus. Es wirkt daher jünger.

Ist das Kindchenschema sexy?

Konrad Lorenz, der Vater der Verhaltensbiologie, entdeckte 1943, dass Jungtiere von Gänsen, Hunden, Katzen und vielen anderen Arten die gleichen typischen Merkmale zeigen, die wir als »niedlich« empfinden: großer Kopf, große Augen, hohe Stirn und runde Wangen. Bei erwachsenen Tieren verschwinden diese Merkmale – mit Ausnahme von jenen Hunderassen, die wir absichtlich so gezüchtet haben, dass sie ihr Leben lang »niedlich« aussehen. Lorenz nannte dieses Aussehen von Jungtieren »Kindchenschema«. Seine Funktion bestehe darin, bei den Muttertieren den Fürsorgetrieb zu wecken. Der menschliche Säugling bilde da keine Ausnahme. Seine Frage an ungläubige Kritiker lautete: Erklären Sie mir, wozu beim Säugling die Pausbäckchen dienen – außer um uns Erwachsenen anzuregen, das Kind zu beschützen und zu pflegen?

Heute akzeptieren fast alle Experten seine Erklärung. In mehreren Studien konnten sie zeigen, wie kindliches Aussehen aggressive Neigungen unterdrückt, Zuwendung auslöst und ein Lächeln auf die Lippen zaubert. Kann man daraus schließen, dass Männer Frauen schöner finden, wenn sie Merkmale des Kindchenschemas zeigen? Die Forscher gaben widersprüchliche Antworten:

1. Ja. Denn Frauen, die jung und verletzlich wirken, wecken bei Männern ritterliche Beschützerinstinkte.

2. Nein. Einen Säugling niedlich finden, füttern und windeln wollen – das ist doch wohl etwas anderes, als eine Frau sexuell zu begehren.

Wo zwei extreme Meinungen aufeinander treffen, liegt die Wahrheit oft in der Mitte. Der Psychologe Michael Cunningham überprüfte die Streitfrage 1986 im Experiment und fand, dass seine Versuchspersonen Gesichter bevorzugen, in denen kindliche und erwachsene Merkmale gemischt sind. Die Regensburger Schönheitsforscher überprüften seine Schlussfolgerung mit ihren Computergesichtern. Sie nahmen Bilder von erwachsenen Frauen und kreuzten sie mit Fotos von Kindern – und zwar zu unterschiedlichen Anteilen.

Das Ergebnis war eindeutig. Nur 9,5 Prozent der Beurteiler gaben reifen Frauen ohne kindliche Anteile den Vorzug. Die Mehrheit fand Gesichter am schönsten, denen zehn bis 50 Prozent Kindlichkeit beigemischt waren. Wieder wirkten die Computergesichter attraktiver als die Originale. Erhöhte man allerdings den Anteil kindlicher Merkmale auf mehr als 50 Prozent, bis die erwachsene Frau hinter dem Kind verschwand, verflüchtigte sich auch die Attraktivität. Das Gesicht wurde nicht mehr schöner, sondern nur noch jünger.

Am hübschesten wirkt freilich nicht eine beliebige Kombination kindlichen und erwachsenen Aussehens. Sondern eine Mischung, wie man sie zum Beispiel im Gesicht von Supermodel Kate Moss findet. Kindlich sind an ihr:

- Die hohe gewölbte Stirn
- Das ziemlich weit unten liegende Gesicht aus Augen, Nase und Mund
- Die großen Augen
- Das kleine Kinn

Erwachsen wirken dagegen

- Die hohen Wangenknochen
- Die schmalen, leicht nach innen gerundeten Wangen
- Der größere Mund und die etwas größere Nase

Bei einem kleinen Kind sind die Wangen dagegen pausbäckig rund und die Wangenknochen kaum zu sehen. Das Babyface ist ein Mondgesicht.

Wie jung sind Frauen am schönsten?

Forscher legten Männern, Frauen, Modelagenturen und Laien Fotos aller Altersstufen vor. Die einhellige Meinung: Ein Mädchen von etwa 14 Jahren ist am attraktivsten. So denken nicht nur ältere Herren. So urteilen auch Modelagenturen und Frauen, wenn sie unter weiblichen Porträtfotos wählen sollen. Das erklärt die große Spanne zwischen zehn und 50 Prozent Kindbeimischung in den bevorzugten Computerfotos. Je erwachsener das Originalgesicht, desto mehr Kindlichkeit mussten die Spezialisten dazugeben, um die Betrachter von ihm zu begeistern. Die Schönheit erreicht ihr Maximum in der Spätpubertät. Sobald die Geschlechtsreife erreicht, aber noch nicht alle Spuren der Kindheit verschwunden sind.

Die weibliche Fruchtbarkeit ist jedoch erst mit Anfang 20 am größten. Warum setzt die maximale Schönheit mit 14 und nicht erst mit 20 ein? Weil das Mädchen dann mit 20 schon mehrere Kinder in die Welt gesetzt haben könnte. Das entscheidende Kriterium ist der Moment des höchsten reproduktiven Wertes. Wann kann sie ihr erstes Kind bekommen und danach noch möglichst viele weitere? Dies war in der späten Stammesgesellschaft mit ihrer hohen Kindersterblichkeit die entscheidende Frage. Außerdem schützte die Bevorzugung sehr junger Frauen den Mann davor, Nachwuchs von einem Vorgänger übernehmen zu müssen.

Frauen teilen dieses Schönheitsideal – auch wenn sie sich darüber ärgern. Mit Anfang 20 haben viele von ihnen schon angefangen, sich jünger zu stylen. Durch Kleidung, durch Schminke oder indem sie einfach ihr wahres Alter verschweigen. Der weibliche Jugendwahn ist keine neue Erscheinung. Im 19. Jahrhundert galt eine unverheiratete Frau von ihrem 25. Geburtstag an als hoffnungsloser Fall. Wer bis dahin nicht unter der Haube war, würde als alte Jungfer enden. Ein Blick in alte Märchen und Theaterstücke zeigt, wo früher das ideale Heirats- und Schönheitsalter lag.

Dornröschen feierte ihren 15. Geburtstag, als sie sich an einer Spindel stach und in hundertjährigen Schlaf fiel. In demselben Alter erwachte sie, küsste ihren Prinzen und heiratete ihn.

Die schöne Julia hat nach Shakespeares Worten »kaum 14 Jahre wechseln sehen«, als Romeo ein Auge auf sie warf. Für ihre Mutter, die Gräfin Capulet, höchste Zeit, die Tochter zu verheiraten. Wenn sie sich recht besinne, sagte sie zu Julia, »so war ich deine Mutter in demselben Alter, wo du noch Mädchen bist«.

Den Rekord hält aber Schneewittchen. Das Mädchen mit den Lippen so rot wie Blut, der Haut so weiß wie Schnee und dem Haar so schwarz wie Ebenholz – wie alt war sie, als die böse Königin erstmals von ihrem Spiegel hörte, dass ihre Stieftochter »tausendmal schöner« als sie selbst geworden sei? Sieben Jahre! So steht es zumindest in der Originalausgabe der Gebrüder Grimm. Heutige Ausgaben sind meist für Kinderaugen entschärft worden. Schneewittchen konnte noch nicht lesen oder schreiben, als sie in den Wald entfloh und den sieben Zwergen den Haushalt führte. Das Märchen enthält keine genauen Angaben, wie lange ihr Waldasyl dauerte. Aber sie dürfte immer noch sehr jung gewesen sein, als ihr Prinz sie aus ihrem Glassarg befreite, wieder belebte und ehelichte.

Wie beneidenswert ist doch die Jugend! Oder?

Macht jung sein glücklich?

Es gibt eine ausgleichende Gerechtigkeit. Menschen in den mittleren Lebensjahren fällt es am leichtesten, glücklich zu sein. Viele Jugendliche dagegen sind ängstlich und unausgeglichen. Sie sind ausgerechnet mit dem Aspekt ihrer Individualität unzufrieden, der ihr Trumpf ist – ihrem Aussehen. Die Weltgesundheitsorganisation WHO befragte 14- bis 16-Jährige in über zwanzig Ländern. Dabei kam heraus, dass sich in Deutschland nur jedes fünfte Mädchen und jeder vierte Junge für gut aussehend hält. Weitaus größer ist die Zahl derjenigen, die glauben zu dick zu sein: 57 Prozent der Mädchen und 26 Prozent der Jungen. Darunter nicht wenige, die objektiv gesehen Untergewicht haben. Mehr als die Hälfte hatte schon Diäterfahrung. Zum Zeitpunkt der Befragung unternahmen 17 Prozent der Mädchen und fünf Prozent der Jungen eine Abmagerungskur.

Frauen, die ihre Wechseljahre hinter sich haben, fühlen sich dagegen in der Mehrzahl ausgesprochen wohl. Die britische Sozialwissenschaftlerin Kate Fox befragte Frauen zwischen 50 und 64. Drei Viertel hatten mehr Spaß am Leben und 65 Prozent fühlten sich insgesamt glücklicher als in früheren Jahren. Als wichtigsten Grund nannten sie ihre wachsende Unabhängigkeit in allen Lebensbereichen, von der Arbeit bis zur Freizeit.

Die bessere Stimmung in höheren Lebensjahren hat viele Gründe. Mit höherem Alter festigt sich der Charakter. Stimmungsschwankungen werden seltener. Gelassenheit und Ausgeglichenheit nehmen zu. Die Lebenserfahrung erlaubt es, Krisen leichter und geschickter zu bewältigen. Jugendliche leiden dagegen unter ihrer unsicheren Zukunft. Sie wissen nicht genau, was in der Liebe und in der Karriere auf sie zukommt. Zwei von dreien schauen sorgenvoll auf die kommenden Jahre. Werde ich Erfolg haben oder auf die Verliererstraße geraten?

Wer über vierzig ist, hat die grundlegenden Entscheidungen schon hinter sich. Selbst wer noch einmal einen Neuanfang wagt, kann sich auf langjährige Freunde und finanzielle Reserven stützen. Er kennt längst seine Stärken und Schwächen und weiß, was er sich zutrauen kann und was nicht. Was Teenagern schlaflose Nächte bereitet – Konflikte mit dem Elternhaus, die Suche nach einer Lehrstelle oder die Frage »Wird mich jemals eine(r) wirklich lieben?« –, bekümmert ihn nicht mehr.

Teenager sehen besser aus als ihre Eltern, aber es gelingt ihnen nur selten, diese Stärke für ihr Lebensglück zu nutzen.

Leiden Männer unter einem Lolita-Komplex?

Was haben Produzent Dieter Bohlen, Sänger Peter Maffay, Liedermacher Konstantin Wecker und »Mister Tagesthemen« Ulrich Wickert gemeinsam? Eine jugendliche Gefährtin. Als ihre Frauen geboren wurden, waren sie schon gestandene Männer und hatten ihren zwanzigsten Geburtstag längst hinter sich. Das Vorbild erfand der russische Schriftsteller Vladimir Nabokov vor einem halben Jahrhundert in seiner Wahlheimat Amerika. Er schilderte in seinem Roman »Lolita« die Besessenheit seines 40-jährigen Helden Humbert für junge Nymphchen. Er verfällt der zwölfjährigen Tochter seiner Zimmerwirtin. Seitdem stellen sich Frauen immer wieder die Frage: Haben Männer einen unbezwingbaren Hang zu möglichst jugendlichen Mädchenkörpern?

Diesem Rätsel können wir uns auf zweierlei Weise nähern. Zunächst fragen wir: Was passiert, wenn Jugend und Schönheit nicht in derselben Person zusammentreffen? Wenn Männer zwischen einer reifen Schönheit und einer durchschnittlichen Kindfrau wählen sollen? Der britische Psychologe George Fieldman und seine Kollegen von der Buckinghamshire Chilterns Universität zeigten jungen Männern das Foto einer sehr schönen 36-Jährigen und Bilder von weniger attraktiven Frauen Anfang 20. Das Ergebnis war eindeutig: Schönheit geht vor Jugend. Selbst als Fieldman behauptete, das Alter der Schönen betrage 45 Jahre, zogen die Männer – die selbst alle unter 40 waren – sie als mögliche Lebenspartnerin vor.

Als Zweites werfen wir einen Blick auf Statistiken über Partnerwünsche und tatsächliche Eheschließungen. Wenn Männer eine Heiratsannonce aufgeben – wie alt soll die gesuchte Partnerin sein? Zweierlei fällt auf:

1. Die Männer wünschen sich durchweg jüngere Frauen.
2. Die Wunschpartnerin soll aber nur wenige Jahre jünger sein als sie selbst.

Der Altersunterschied hängt vom Alter des Mannes ab. Ist der Mann nicht älter als 30, ist seine Auserwählte etwa zwei bis drei Jahre jünger. Ein 30-Jähriger vermählt sich also eher mit einer 28- als mit einer 18-Jährigen. Heiratet er zwischen 30 und 40, trennen beide schon fünf Jahre. Und hat der Mann das fünfzigste Lebensjahr überschritten, darf die neue Liebe durchaus zehn bis 20 Jahre jünger sein.

Der Grund: Männer aller Altersgruppen zieht es zu Frauen im fruchtbaren Alter hin. Dafür sorgte die Evolution. Männer, die unfruchtbare Frauen bevorzugten, haben ihre Gene nicht weitergegeben.

Je gleichberechtigter das Verhältnis von Männern und Frauen, desto mehr verringert sich der Altersunterschied. In den Stammesgesellschaften Afrikas ist er am größten, in den skandinavischen Ländern am geringsten. Ehen zwischen reifem Mann und jungem Mädchen sind zwar ein beliebtes Medienthema – vor allem, wenn es sich um Prominente handelt –, nichtsdestoweniger sind sie eine Ausnahme. Sie liefern keinen Beweis für einen allgemein verbreiteten Lolita-Komplex.

Mit der Emanzipation der Frauen kommt übrigens der umgekehrte Fall immer öfter vor. Der Traummann der Schauspielerin Hannelore Hoger ist 25, von Katharina Thalbach 20 Jahre jünger. Sängerin Madonna heiratete kurz vor Weihnachten 2000 den zehn Jahre jüngeren Guy Ritchie. Ähnlich ihre Kollegin Sheryl Crow. Als sie Lance Armstrong, den siebenmaligen Gewinner der Tour de France, kennen lernt, ist dieser ebenfalls zehn Jahre jünger. Die deutsche Sängerin Nena lebt seit zwölf Jahren mit dem zwölf Jahre jüngeren Schlagzeuger Philipp Palm zusammen. Sie haben zwei gemeinsame Kinder. Und auch die Hollywoodstars Goldie Hawn, Susan Sarandon und Sandra Bullock haben ihren Männern sechs, zwölf beziehungsweise 15 Jahre voraus.

Warum wollen wir unbedingt jünger wirken als wir sind?

Als eine gute Freundin zum siebten Mal ihren 29. Geburtstag feierte, fragte ich sie: »Was wirst du feiern, nachdem du zum 29. Mal deinen 29. Geburtstag gefeiert hast?« Sie zuckte mit den Schultern und antwortete: »In dem Alter haben Frauen kein Alter mehr.«

Da hätte sie mal zuhören sollen, als ich mit einer Redakteurin telefonierte, die ich seit 15 Jahren kenne. Ich sagte zu ihr: »Feierst du nicht nächstes Jahr deinen Sechzigsten?« Sie antwortete: »Nein. Nächstes Jahr lasse ich meinen Geburtstag ausfallen.«

Seit Jahren liegt Anti-Aging groß im Trend. Die Fans von Hormonspritzen und sanfter Fitness behaupten zwar gern, es ginge ihnen allein um den körperlichen Ausgleich. Den Erfolg aller Anstrengungen messen sie jedoch daran, um wie viel Jahre jünger neue Bekannte sie schätzen. Ein Wettrennen, das niemand gewinnen kann. Denn selbst wenn Sie es als 40-Jährige schaffen wie 32 auszusehen – jede 25-Jährige, die so alt aussieht, wie sie wirklich ist, wirkt jünger. Weshalb also der ganze Stress?

Weil es nicht um das kalendarische, sondern das biologische Alter geht. Sonst hätte uns die Evolution Jahresringe auf die Stirn gezaubert. Wir schätzen die Jugend nicht allein wegen der geringen Zahl ihrer Jahre, sondern weil sie Vitalität, Spannkraft, Gesundheit, Fruchtbarkeit und Widerstandskraft anzeigt.

Je sportlicher, gesünder und geistig beweglicher jemand ist, desto jünger sieht er aus. Das biologische Alter wird in Arztpraxen so ähnlich bestimmt wie der Intelligenzquotient. Man setzt die körperlichen Werte der betreffenden Person in Beziehung zu dem Durchschnitt der gesamten Altersgruppe. Heute gibt es verschiedene Verfahren, um das biologische Alter zu ermitteln. Eines der bekanntesten ist der H-Scan. Das H wird englisch ausgesprochen, klingt also fast genauso wie »Age« (Alter). Dabei erfasst der Arzt verschiedene Parameter, die sich mit dem Alter verändern, zum Beispiel die Hörfähigkeit für hohe Frequenzen, die Reaktionsschnelligkeit auf Reize oder das Volumen an Atemluft, das jemand mit einem Mal ausatmen kann.

Auch Blutwerte geben einen Hinweis auf das Ausmaß der Alterungsprozesse. Wie alt wir geschätzt werden, verrät, wie gesund unser Blut ist. Wissenschaftler des Imperial College in Großbritannien konnten zeigen, wie erhöhte Cholesterin- und Hämoglobinwerte Männer älter aussehen lassen. Bei Frauen lassen hohe Proteinwerte im Blut das geschätzte Alter ansteigen. Für die Studie hatten zwei Krankenschwestern und ein Arzt das Alter von 447 Verwaltungsbeamten und -beamtinnen geschätzt. Nach ihrem Aussehen. Danach hat man ihre Schätzungen mit den Blutwerten verglichen. Zur Überraschung der Forscher war die Übereinstimmung von Aussehen und Blutwerten stärker als etwa zum Alkoholkonsum oder zur beruflichen Leistung. Wer jünger aussieht, ist (biologisch) jünger.

Im Alter nimmt die Krankheitsanfälligkeit zu, die körperliche und geistige Leistung sinkt. Das ist eine Binsenweisheit. Warum ziehen aber Männer die reife Schönheit einem jugendlichen Alltagsgesicht vor? Weil im Einzelfall auch ein Teenager mal schwach und krank sein kann und wir andererseits fitte und leistungsfähige Ältere kennen. Eine gesunde 40-Jährige wirkt attraktiver als eine kränkelnde Kindfrau.

Lohnt es, sich künstlich zu verjüngen?

Wie jung jemand aussieht, verrät nur dann etwas über seine Fitness, wenn das Resultat tatsächlich durch eine gesunde Lebensweise erzielt wurde. Der kosmetische Fortschritt erlaubt jedoch zu schummeln.

Blondieren. Helle Haare und Augen sind ein typisches Jugendsignal. Daher die männliche Vorliebe für Blondinen, während Frauen häufiger dunkle Männer bevorzugen. Viele Kinder, die mit blonden Haaren und blauen Augen auf die Welt kommen, werden als Erwachsene braunäugig und brünett sein. Frauen, die nach der Pubertät noch blond sind, müssen damit rechnen, dass ihre Haare nach jeder Schwangerschaft nachdunkeln. Schuld ist die abnehmende Östrogenmenge. Also färbt frau nach. Selbst die Augenfarbe ist dank getönter Kontaktlinsen nicht mehr unveränderlich.

Enthaaren. Haarlose Haut wirkt mädchenhaft. Ungerecht, aber wahr: Mit den Jahren nehmen nur auf dem Kopf die Haare ab. Auf dem Körper sprießen sie wilder als je zuvor. Über 90 Prozent aller Frauen wünschen sich eine glatte Haut ohne

Haarwuchs. In Deutschland greift jede vierte zu Enthaarungsmitteln, in England und Amerika mehr als 90 Prozent.

Make-up. Wer Gefühle zeigt, altert schneller. Zumindest äußerlich. Sie graben sich als Falten in das Gesicht ein. Jede Wut, jede Freude und jede Traurigkeit spiegeln sich in der Mimik wider. Die häufigsten Gesichtsausdrücke bleiben haften, sobald die Haut nicht mehr elastisch genug ist. Nun ist es kein Problem, mit Make-up die Altersspuren zu überdecken. Oder die Gesichtsmuskeln mit Botoxspritzen lahm zu legen. Aber Erfolg bringt diese Maßnahmen nur, wenn auch der übrige Körper jung aussieht. Wenn nicht, wirkt das künstlich geglättete Gesicht wie eine emotionslose Maske. Mit negativer Ausstrahlung. Wir neigen nämlich dazu, Menschen, die keine Gefühle zeigen, zu misstrauen. Nur wer offen seine Empfindungen preisgibt, wirkt ehrlich.

Sonnenschutz. Hautbräune macht älter. Nicht nur, weil gebräunte Haut zur Faltenbildung neigt, sondern auch, weil helle Haut ein Jugendsignal darstellt. Selbst bei Afrikanern werden Sie finden, dass die Alten dunkler sind als die Kinder. Unsere unausrottbare Vorliebe für Sonnenbräune zeigt wieder, dass im Zweifelsfall Schönheit vor Jugend geht. Denn die Bräune verrät häufige Aufenthalte an frischer Luft. In der Stammesgesellschaft lagen nur Kranke in Höhlen und Zelten herum. Wer sich draußen aufhielt, war gesund. Ein Ozonloch gab es nicht. Noch heute fragen wir: »Du siehst blass aus, bist du krank?«

Die Ärzte warnen vor der Hautkrebsgefahr, aber die Statistiken sind widersprüchlich. William Grant aus Newport (USA) hat Krebsdaten aus den Jahren 1970 bis 1994 ausgewertet. Schiene überall in den USA die Sonne wie in Kalifornien, würden pro Jahr – wie von den Ärzten befürchtet – 3000 Menschen zusätzlich infolge Hautkrebs sterben. Zugleich gäbe es jedoch 30 000 Tote weniger durch Blasen, Brust-, Darm- und zahlreiche andere Krebsarten. Schon frühere Studien aus Europa hatten gezeigt, dass der Mangel an Sonnenlicht einer der Risikofaktoren für Brustkrebs ist. Der Medizinprofessor Michael F. Holick aus Boston errechnete: Auf jede Frau, die wegen zu viel UV-Strahlung dem Hautkrebs zum Opfer fällt, kommen 55 Frauen, die wegen zu wenig Sonnenlicht an Brustkrebs sterben. Kinder, die sich zu viel in der Sonne aufhalten, haben ein erhöhtes Hautkrebsrisiko. Kinder, die jedem Sonnenlicht fern bleiben, aber auch. Ursache ist nach Holick das Vitamin D, das unser Körper bei Sonnenlicht bildet. Es fördert nicht nur die Knochendichte: »Es hält das Zellwachstum in Schach. Eine unkontrollierte Zellteilung – wie sie bei Krebs typischerweise vorkommt – ist bei normalen Vitamin-D-Spiegeln nur schwer möglich.« Australische Wissenschaftler fanden, dass Sonnenkinder später seltener an multipler Sklerose erkranken als ihre blassen Altersgenossen. Das Licht schützt außerdem vor Depressionen, Schuppenflechte und Lymphomen (krankhafte Lymphknotenvergrößerung).

Wir urteilen daher im Allgemeinen richtig, wenn wir natürliche, mäßige Bräune als Zeichen von Gesundheit ansehen. Stammt die Bräune aus dem Solarium, überwiegt jedoch das Risiko. Das zeigen Daten aus Schweden. Die Ärzte beobachten dort eine Zunahme von Hautkrebs an Körperstellen, die im sonnenarmen Skandinavien fast immer mit Kleidung bedeckt sind. Das künstliche Licht enthält zu viel langwellige UV-A-Strahlung. Es dringt in tiefe Hautschichten ein, bräunt intensiver, greift aber auch die Hautzellen an. UV-B-Strahlung erhöht dagegen nicht das Risiko für den gefährlichen schwarzen Hautkrebs. Das ergab eine neue Studie Ende 2005.

Garantiert harmlos ist die Bräune aus der Tube. Selbstbräuner erzeugen keine Farbpigmente, sondern liefern eine Zuckerverbindung (Dihydroxyaceton), die sich mit Eiweißen der obersten Hautschicht zu einem braunen Hautton verbinden. Da sich die obersten Hautzellen ständig erneuern, hält der Effekt allerdings nicht lange vor.

Je dünner, desto jünger?

Schlankheit macht nicht nur schön, sondern auch jung. Das war auch vor Jahrhunderten schon so. Die prallen Schönheiten des Malers Peter Paul Rubens (1577–1640) sind kein Gegenbeweis. Eine Frau der besseren Kreise, die nicht arbeitete und keine vernünftige Schulbildung genossen hatte, besaß damals nur eine Möglichkeit, sich Ansehen zu erwerben – indem sie Kinder gebar und aufzog. Das Schönheitsideal jener Zeit war nicht der spätpubertäre Teenager, sondern die mütterliche Matrone. Nicht die 13-, sondern die 30-Jährige. Rubens schmeichelte seinen jungen Modellen, indem er sie in den prallen Formen ihrer Mütter darstellte. Die Frauen auf seinen Gemälden sind rundlich, aber nicht unförmig fett. Misst man das Verhältnis ihrer Taillen zu ihren Hüften nach, so ergibt sich eine Relation von ungefähr 0,7 zu 1, was modernen Schönheitsidealen entspricht.

Im Durchschnitt haben Ältere mehr Pfunde auf den Rippen. Dafür gibt es zwei Gründe:

1. Es dauert seine Zeit, sich größere Fettpolster anzufuttern. Wir kommen alle schlank auf die Welt. Bei manchen beginnt die Fresskarriere schon mit dem Babyspeck. Die meisten Dicken hatten aber als Jugendliche nur ein paar Pfunde zu viel und erwarben sich ihre Ringe um Bauch und Hüfte erst in den folgenden Jahrzehnten – oftmals im Wechsel von Diät und Jo-Jo-Effekt.

2. In der Jugend arbeitet der Stoffwechsel intensiver, weil die meisten Kalorien für das Längenwachstum gebraucht werden. Ab 20 verlangsamt sich der Energieverbrauch. Doch kaum jemand fährt deshalb seine Nahrungszufuhr herunter. Bei gleichbleibender Ernährung nimmt man daher auch ohne Fressorgien alle zehn Jahre um drei bis vier Kilo zu. Der schwindende Bewegungsdrang der Älteren – mit 18 steigen die meisten vom Fahrrad aufs Auto um – verstärkt diesen

Effekt. Schwangerschaften verleiten den Körper ebenfalls, Nahrungsreserven einzulagern.

Jeder von uns schätzt unwillkürlich das Alter von allen Personen, denen er begegnet. Die Erfahrung, dass im Durchschnitt die Pfunde mit dem Alter zunehmen, rechnen wir in Gedanken ein. Bei Dicken addieren wir ein paar Jahre dazu, bei Dünnen ziehen wir welche ab. Es wird schwieriger, korrekt zu schätzen, da heute schon jedes fünfte Kind fettleibig ist – eine Folge ihrer Ein-Hand-Esskultur: In der rechten Hand die Maustaste, in der linken der Schokoriegel.

Wir nutzen die Gewichtsschätzung insbesondere, um zu erkennen, wann aus einem Kind ein junges Mädchen wird. Die als optimal attraktiv geltenden 14-Jährigen haben den Übergang seit zwei bis drei Jahren hinter sich. Ein Mädchen bekommt ihre erste Regel, sobald sie die Schwelle von ungefähr 47 Kilo Körpermasse überschreitet. Der Körper lagert überproportional viel Fett ein, bis zu einem Anteil von mehr als 20 Prozent des Gesamtgewichts – ein Zeichen, dass er Nahrungsreserven für eine mögliche Schwangerschaft anlegt. Je später sie die 47 Kilo erreicht, desto später wird das Kind zur Frau. Magersüchtige hungern sich unter diese Grenze und freuen sich insgeheim, wenn die Regel wieder verschwindet. Äußerlich wie innerlich kehren sie auf die Stufe eines Kindes zurück.

Magersüchtige opfern ihre sich gerade entwickelnde Schönheit, um den Jugendexzess bis zur Kindlichkeit auszudehnen. Darum sind auch nur wenige einer Therapie zugänglich. Sie glauben, dass ihre besorgten Eltern und Freundinnen bloß neidisch sind, weil die es nicht schaffen, so jung auszusehen wie sie selbst. Oft stimmt es. So manche Mutter wäre insgeheim selbst gern ein wenig magersüchtig. Nach Studien, die im Januar 2001 im amerikanischen Fachblatt für Pädiatrie veröffentlicht wurden, fürchten sich schon Fünfjährige vor Übergewicht und machen Diäten.

Warum diese Gier nach jugendlichem Aussehen?

Wenn aber Schönheit vor Jugend geht – warum nehmen wir es dann so wichtig, für jung gehalten zu werden? Warum streben so wenige nach dem Status einer reifen Schönheit?

Jugend hat nicht nur mit gutem Aussehen zu tun. Sondern auch mit Weltoffenheit, Naivität, Unverdorbenheit, Neugier, Flexibilität und rebellischer Gesinnung gegen etablierte Strukturen. Wer möchte schon in den Verdacht geraten, jede Neuerung abzulehnen und sich nach den alten Zeiten zu sehnen? Wenn ein 60-Jähriger beim abendlichen Bier in der Kneipe von seiner Lust auf Bungee-Jumping und Rap-Konzerte schwärmt, werden seine jungen Zuhörer eher belustigt grinsen. Hat er jedoch die jugendliche Ausstrahlung eines 30-Jährigen, glauben sie ihm eher.

Jugend ist mühelose Schönheit – zumindest für alle unter 25. Ein zusätzliches Plus, das keine extra Anstrengungen erfordert. In allen Berufen, in denen Attraktivität wichtig ist, wird der Arbeitgeber den jüngeren Bewerber dem erfahrenen vorziehen. Das sind nicht nur Tänzer, Models und Schauspieler, sondern auch Stewardessen und Verkäufer. Wo genug Junge zur Verfügung stehen, setzen sie die Norm. Den Älteren bleibt nichts weiter übrig als einen zusätzlichen Aufwand zu treiben, um die Frische zu erreichen, die den Kids ohne Mühe zufällt. Wer dem Jugendkult fern bleiben möchte, muss sich eine der schwindenden Nischen suchen, in denen langjährige Verdienste mehr zählen als die Unverdorbenheit eines unbeschriebenen Blattes. Die englische Schauspielerin Emma Thompson, zweifache Oscargewinnerin, erklärte mit Ende 40 im Interview, warum sie nicht nach Hollywood zieht: »Mit jedem Film, den ich dort gedreht hätte, wäre doch bloß der Ruf der Produzenten nach kosmetischer Chirurgie lauter geworden. Dann sähe ich heute aus wie ein Zombie, denn als Frau hat man in Hollywood keine Chance gegen den Jugendwahn.«

Wer in der zweiten Lebenshälfte Erfolg hat, erntete seine ersten Lorbeeren in seinen Jugendjahren. Wer seine Berühmtheit über die Jugendjahre hinaus rettete, vertraut auf die Künste von Kameraleuten und Technikern. Licht direkt von vorn macht die verräterischen Schatten der Gesichtsfältchen unsichtbar. Der Bearbeiter am Computer schaltet die Weichzeichnerfunktion ein und verleiht den scharfen Gesichtskonturen des Alters jugendliche Sanftheit.

Spätstarter finden sich höchstens unter Talenten, die unsichtbar im Hintergrund arbeiten. Krimiautorin Ingrid Noll war über 50, als sie mit »Der Hahn ist tot« ihren ersten Bestseller landete. Kennen Sie einen Leinwandstar, der in ihrem Alter war, als er entdeckt wurde? Catherine Deneuve sagte: »Alle Frauen, die behaupten, es störe sie nicht, älter zu werden, lügen.« Auch sie erwarb sich den Ruf, die schönste Frau Frankreichs zu sein, mit jungen Jahren und zog sich angesichts jüngerer Konkurrentinnen mehr und mehr aus der Öffentlichkeit zurück – so wie vor 70 Jahren schon Greta Garbo und später Marlene Dietrich.

Seit einigen Jahren ist immer wieder mal von einer Gegenbewegung die Rede. Agenturen nehmen ältere Models ins Programm, sogar die Wahl einer »Miss Senior« findet ihr Publikum. Auf den ersten Blick eine logische Entwicklung. Da die Mehrzahl der kaufkräftigen Konsumenten zu den älteren Semestern gehört, scheint ein Umdenken vernünftig. Unsere instinktiven Vorlieben verhindern jedoch, dass daraus jemals mehr als ein winziges Randphänomen wird. Nicht was die Käufer sind, zählt, sondern was sie sein wollen – Forever young. Oder bestenfalls alterslos. Aber auf gar keinen Fall alt.

Warum der Sexappeal immer noch die schärfste Waffe der Frauen ist

Ich war jung, blond und kurvenreich; ... Das brachte mir zwar noch keinen Job ein, dafür aber pfiffen die Männer hinter mir her. Es waren nicht nur kleine Haie mit großen Plänen und ausgefransten Manschetten. Es gab auch Männer mit dicken Scheckbüchern darunter.

Marilyn Monroe

Ausgerechnet der blinde Sänger Homer erzählte uns vom ältesten Schönheitswettbewerb der Welt. Drei Göttinnen traten vor den Hirten Paris mit der Bitte, den Apfel der Schönsten von ihnen zu überreichen. Er sprach ihn der Liebesgöttin Aphrodite zu, weil sie ihm die Zuneigung der schönsten Frau der Welt versprach, der berühmten Helena. Die Konsequenzen sind bekannt. Paris entführte Helena nach Troja. Der betrogene Ehemann Menelaos schwor Rache. Die Griechen schickten eine Armee hinterher. Zehn Jahre Belagerung, wechselndes Kriegsglück, viele Tote. Am Ende fiel die Stadt einer List zum Opfer, den im Bauch des Trojanischen Pferdes versteckten Kriegern.

Doch wer waren eigentlich die besiegten Rivalinnen der Schönheitsgöttin? Hera, die Hüterin der familiären Häuslichkeit, und Athene, die Beschützerin von Weisheit und Wissenschaft. Obwohl Homer blind war, wusste er: Sitte und Klugheit haben keine Chance, wo weibliche Schönheit das männliche Auge blendet.

Karrieren durch körperliche Reize –
früher und heute

Schönheitskonkurrenzen sind keine Erfindung der Neuzeit. Beim antiken Dionysosfest stellten nicht nur professionelle Liebesdienerinnen ihre Reize zur Schau, sondern auch die Hausfrau von nebenan. Davon berichtete uns Alkiphron, ein Autor aus dem zweiten Jahrhundert nach Christus: »Sogar Philumene, die gerade erst geheiratet hatte und eifersüchtig bewacht wird, hatte ihren guten Mann eingeschläfert und war gekommen, wenn auch spät.« Es lohnte sich für sie. Für jeden Körperteil kürte das Publikum eine andere Siegerin, und sie gewann den Ausscheid um den straffsten Bauch.

Noch heißer ging es her beim Vergleich intimerer Körperteile: »Zwischen Thryallis und Myrrhine brach ein richtiger Streit aus, wer den schöneren und verlockenderen Popo zur Schau stellen könne. Zuerst löste Myrrhine den Gürtel. Ihr Hemdchen war aus Seide und durch es hindurch sah man, wie sie ihre Hüften schwenkte, dass sie zitterten wie dicke Honigmilch. Dabei schaute sie hinter sich auf die Bewegungen ihrer Rundungen und seufzte verstohlen, als sei sie bei der Liebesarbeit. Bei Aphrodite, da musste ich wirklich staunen.«

Aber Thryallis übertrumpfte sie, indem sie ganz auf Kleidung verzichtete. Sie wies auf ihre nackten Hinterbacken: »›Aber wahrhaftig, sie zittern nicht wie bei Myrrhine.‹ Dabei versetzte sie ihren Popo in solche Schwingungen und ließ ihn um und um bis über die Lenden herumwirbeln, dass alle in lauten Beifall ausbrachen und Thryallis zur Siegerin erklärten. Es gab dann auch noch Vergleiche der Hüften und wegen der Brüste.«

Leider konnte uns Alkiphron nur Worte, aber keine Fotos überliefern. Daher reichte der Ruhm der Schönen in jener Zeit kaum über die Ortsgrenzen hinaus. Kaiser Hadrian – er regierte Rom in zweiten Jahrhundert nach Christus – versuchte dem Missstand abzuhelfen. Er ließ tausend Kopien von einer Statue seines Geliebten Antinoos anfertigen und überall im Römischen Reich aufstellen. Ein ausgesprochen teurer und deshalb einmaliger Versuch, die Schönheit eines Jünglings zur allgemeinen Norm zu erheben. Die Gemälde des Renaissance und des Barock erlangten ebenfalls keine Massenwirksamkeit. Zwar rühmten viele Dichter den Zauber von Botticellis Venus oder Raffaels Sixtinischer Madonna – aber wer außer ihnen und einigen Adligen bekam sie schon zu Gesicht? Die Gemälde erreichten erst im 20. Jahrhundert ein größeres Publikum, als aus privaten Galerien öffentliche Museen wurden und jedermann preisgünstige Kopien kaufen konnte.

1854 griff der amerikanische Schausteller Phineas T. Barnum die antike Idee der Schönheitskonkurrenz wieder auf. Zu seinem Leidwesen konnte er im puritanischen 19. Jahrhundert keine »respektablen« Damen finden, die bereit gewesen wären, sich vor Publikum zu zeigen. Also ließ er Hunde, Katzen und Babys gegeneinander antreten. Erst nach 1880, als Frauen sich in öffentlichen Bädern zeigen durften, konnten erste Misswahlen stattfinden. 1909 organisierte der Direktor des Berliner Kabaretts »Chantant« die erste Schönheitskonkurrenz in Deutschland – mit Mädchen aus 36 Ländern. Einen Monat lang wetteiferten sie singend und tanzend in züchtig hochgeschlossenen Kleidern. Die Gewinnerin, die 20-jährige Gerda Sieg, bekam schon im Vorfeld den Neid der Verliererinnen zu spüren. Sie versteckten ihre Kleider und gossen Spiritus in ihre Schminkutensilien.

Der Gewinnerin winkte eine Theater- und Modelkarriere. Die Postkarten, auf denen sie posierte, waren ein Renner. Der Erste Weltkrieg unterbrach ihre Erfolgslaufbahn. Die nächste deutsche Misswahl fand erst 1927 statt. Damals vergab die Jury zum ersten Mal den Titel »Miss Germany« an die aus Ostpreußen stammende Hildegard Kwandt. Ihr Honorar von 250 Reichsmark entsprach immerhin dem fünffachen Wochenlohn eines Facharbeiters. Seitdem fanden jedes Jahr Wettbewerbe statt. Bald schon gab es die ersten Skandale. Die Siegerin von 1930, Dorit Nitykowsky, musste ihren Titel wieder abgeben, weil sie es gewagt hatte, entgegen den Statuten in ihrer Amtszeit zu heiraten!

Wahlen zur Miss Europa und Weltausscheide zur Miss Universum fanden in dieser Zeit auch schon statt. 1929 kamen die Schönsten der Welt aus Ungarn und Österreich, 1930 aus Griechenland und Brasilien, 1931 aus Frankreich und Belgien. Die Deutschen gelangten kein einziges Mal an die Spitze. 1933 verbot Hitler diese »jüdisch-amerikanische Dekadenz«. Erst 1950 gab es wieder eine »Miss Germany« und bald erneute moralische Zensur. Nach 1951 sprachen die Veranstalter ein Bikiniverbot aus und setzten das Mindestalter der Teilnehmerinnen auf 18 Jahre fest.

Trotz Protesten von Moralaposteln und neuer Skandale war den Wettbewerben und ihren Gewinnerinnen von Anfang an ein großer Erfolg beschieden. Die öffentliche Aufmerksamkeit war gerade in den prüden fünfziger Jahren enorm. Die Wochenschauen trugen die Ausscheide in jedes Kino. Die Schönheitsköniginnen zierten die Titelblätter aller großen Illustrierten. Sie erhielten Filmverträge und Einladungen, an der Seite von Prominenten auf Großveranstaltungen zu glänzen. Die Miss Europa von 1956, Margit Nünke, spielte an der Seite von Hans Albers die weibliche Hauptrolle in »Die Verlobten des Todes«. Seit Fotografie, Illustrierte und das Fernsehen die Bilder der Schönheiten bis in das abgelegenste Bergdorf bringen, ist eines klar: Ein hübsches Mädchen braucht keine herausragende Schauspielerin oder Sängerin zu sein, um eine Weltkarriere zu starten. Sexappeal genügt.

Wie entsteht die Liebe auf den ersten Blick?

Ein wildfremdes Gesicht, ein Blick, der sich mit Ihrem kreuzt. Plötzlich läuft ein prickelnder Schauer über Ihren Rücken, und Sie wissen: Diese(r) Fremde da und ich – wir sind füreinander bestimmt.

Glauben Sie an Amors Pfeil? Der Hamburger Cora Verlag vertreibt Romanhefte in Millionenauflage, die genau dieses leidenschaftliche Märchen Woche für Woche neu erzählen. Seine Mitarbeiter wollten es genau wissen und befragten über 6000 Frauen und Männer in 22 Ländern. Das Ergebnis des »Cora Romance Reports« erklärt den Erfolg des Verlages: Die Deutschen sind in punkto Romantik Spitzenreiter. 92 Prozent denken, dass die Liebe wie ein Blitz zuschlagen kann.

Sicherlich glauben hauptsächlich Frauen an die plötzliche Leidenschaft, oder? Die Studie lieferte eine Überraschung. Nur 30 Prozent der Frauen hielten es für möglich, dass sie selbst auf diese Weise ihrer großen Liebe begegnen könnten, dafür aber 42 Prozent der Männer! Hatten die Jungs ihre Ader für große Gefühle entdeckt? Brachten die Cora-Fragebögen hinter ihrer rauen Schale den weichen Kern zum Vorschein? Oder leben Frauen ihre Sensibilität auf anderen Gebieten aus?

Überlegen wir: Was kann einen Menschen an einem Fremden innerhalb weniger Sekunden faszinieren? Die äußere Erscheinung und einige wenige Verhaltenssignale – zum Beispiel ein Lächeln oder eine Geste. Mehr ist im ersten Moment nicht zu erkennen. Wie oft gerät wohl eine Frau in den Bann eines Mannes, weil er groß und dunkel ist, ein markantes Kinn und ein unergründliches Lächeln besitzt? Es kommt gelegentlich vor, aber häufiger im Film als in der Wirklichkeit. Doch wie oft kann ein Mann seinen Blick nicht mehr abwenden, weil da ein Mädchen mit toller Figur, knappem Mini, langem blonden Haar vorübergeht? Eine leidgeprüfte Ehefrau antwortete: »So oft, wie er so einer begegnet.« Der Inhaber einer Partneragentur erklärte im Fernsehen: »Die Männer schauen sich nur die Fotos an. Die Frauen lesen auch, was die Kandidaten über sich schreiben.«

Männer wissen oft schon nach einem Blick, ob eine Frau für sie infrage kommt. Frauen wollen den Mann dagegen erst einmal reden hören, bevor sie entscheiden, ob sie ihn sympathisch finden. Hören Frauen also genauer hin? Dann müssten wir erwarten, dass sie eine bessere Partnerwahl treffen als die Männer. Erstaunlicherweise ist das nicht der Fall. Zwei Drittel aller Scheidungen werden von Frauen eingereicht. Nimmt man die nichtehelichen Trennungen dazu, erreicht die Quote 80 Prozent.

Wenn Frauen genauer prüfen – wieso sind sie dann häufiger als Männer mit ihrer Wahl unzufrieden? Eheberater bieten üblicherweise zwei Erklärungen an:

Erstens: Männer richten sich nur bei kurzen Abenteuern nach dem Äußeren. Bei der künftigen Dauerpartnerin legen sie Wert auf Charakter. Da ist was dran. In einer Umfrage des Meinungsforschungsinstitutes Forsa gaben 71 Prozent der Männer den inneren Werten ihrer Traumpartnerin den Vorrang. Nur 16 Prozent schauten in erster Linie auf ihre Schönheit. Nur leider – um ihren Charakter zu prüfen, muss der Mann sie erst einmal näher kennen gelernt haben. Wenn sie nun wegen mangelnden Sexappeals beim ersten Augenschein durch seine Vorauswahl fällt? Dann wird sie nie Gelegenheit bekommen, ihn von ihrer Treue und Zärtlichkeit zu überzeugen.

Zweitens: Viele Männer merken erst spät, dass ihre Beziehung im Eimer ist. Während seine Gattin schon mit dem Scheidungsanwalt verhandelt, denkt er noch, sie beide seien ein Herz und eine Seele – bis auf kleine Unstimmigkeiten vielleicht. Auch das ist wahr, wie Eheberater aus vielen Gesprächen mit Problempaaren wissen. Die Frau sucht Hilfe, er nicht. Doch auch diese Erklärung berührt nicht die Ausgangsfrage. Warum ist er zufriedener mit seiner Wahl als sie mit ihrer?

Ist ihr Sexappeal für ihn vielleicht mehr als nur ein oberflächlicher Schmuck?

Schauen treue Männer weniger auf Äußerlichkeiten?

Wer ist wählerischer in punkto weiblicher Schönheit: Ein polygamer Luftikus, der fröhlich von Blüte zu Blüte flattert, oder ein treuer Held, der Augen nur für seine Herzensdame hat? Trennen wir uns von einem populären Vorurteil. Die Assoziationskette »treulos – also oberflächlich – und daher auf Äußerlichkeiten fixiert« stimmt in den meisten Fällen nicht.

Beim Vergleich verschiedener Tierarten entdeckten Evolutionsbiologen genau das Gegenteil: Je leichter sich die Männchen mit vielen Weibchen paaren, desto gleichgültiger ist ihnen deren äußere Erscheinung. Da sie ihre Samen breit über die weibliche Population verstreuen, sichern sie die Weitergabe ihrer Gene durch möglichst häufige Begattungen. Sie vertrauen auf Versuch und Irrtum. Unter zahlreichen Paarungen stellen ein paar Nieten kein Problem dar. Anders bei monogamen Tieren. Dort hängt die Aufzucht zahlreicher Nachkommen von der gemeinsamen Anstrengung des Elternpaares ab. Gerät ein Tier an einen kränkelnden Partner, steht der gesamte Fortpflanzungserfolg auf dem Spiel. Wenn sein Partner nicht fruchtbar ist oder stirbt, bevor die Jungen selbständig werden, waren all seine Investitionen vergeblich. Es lohnt daher, sich den Lebenspartner genau anzuschauen.

Männer verhalten sich genauso. Bei einem One-Night-Stand sind sie weniger wählerisch als beim Jawort fürs Leben. Der berühmteste Frauenheld aller Zeiten – Giacomo Casanova – verdankte die Vielzahl seiner erotischen Abenteuer nicht allein seinem guten Aussehen, seinem Charme und seiner Entschlossenheit. Sondern vor allem der Tatsache, dass er jede

Frau belagerte, die seinen Weg kreuzte – egal, ob jung oder alt, schön oder hässlich. Er wusste zarte, süße Mädchen zu schätzen, doch er verschmähte auch derbe Dienstmägde nicht. Seine Memoiren verzeichnen Abenteuer mit englischen Gassenhuren, feisten Wirtinnen und sogar der verlebten 70-jährigen Herzogin von Urfé.

Würde eine schöne Frau in erster Linie treulose Schlawiner anlocken, täte sie gut daran, in Sack und Asche zu gehen, um diese Typen abzuschrecken. Dass sie stattdessen in Kleidung und Kosmetik investiert, hat einen guten Grund. Gerade Männer mit ernsten Absichten sind wählerisch. Und je höher sein Einkommen, desto mehr schaut er auf ihre Schönheit.

Was einen Mann anlockt, der nur ein kurzes Abenteuer sucht, sind offenherzige Signale. Zeigt sie mehr Haut als üblich, werden seine Sinne wach, auch wenn sie nicht übermäßig attraktiv ausschaut. Deswegen wird eine Frau mit Stil ihre Reize nur dezent andeuten. Der Mann darf ihre Schönheit ahnen, bekommt sie aber nicht auf dem Präsentierteller serviert. Er soll wissen, dass sie nicht so leicht zu erobern ist, aber die Mühe sich lohnt.

Was geht in einem Mann vor, der eine sexy Frau erblickt?

Warum mögen Männer lieber schöne Frauen als kluge? Weil sie besser gucken können als denken. Träfe der Witz zu, dürften heimkehrende Ehemänner keine Schwierigkeiten mit einer Antwort haben, wenn die wartende Ehefrau ihn mit der Frage begrüßt: »Fällt dir nichts auf an mir?«.

90 Prozent der Männer fangen in dieser Situation an zu rätseln, ob sie für eine neue Frisur oder ein neues Kleid gelobt werden will. Da drängt sich der Verdacht auf, dass es mit dem männlichen Blick auch nicht allzu weit her ist. (Der Kabarettist

Horst Schroth hat uns Männern übrigens die ultimative Antwort verraten: »Du hast abgenommen!« Leider nur einmal anwendbar.)

Die Augen des Mannes schauen selektiv. Er übersieht zwar die herumliegenden Socken auf seinem Sofa, aber nicht den Poansatz des Mädchens im Mikromini in 200 Meter Entfernung. Verhaltensforscher nennen optische Signale, nach denen das Gehirn aktiv die Umgebung absucht, Schlüsselreize. Sie passen zu einem bestimmten Antwortverhalten wie ein Schlüssel ins Schloss. Im Tierreich funktioniert das sehr einfach, wie der Niederländer Niklaas Tinbergen in einem berühmten Experiment zeigte. Stichlingsmännchen haben einen roten Bauch, ihre Weibchen nicht. Hält man eine längliche, graue Plastikattrappe ins Aquarium, beginnt das Männchen seinen Balztanz. Wenn die Attrappe an der Unterseite jedoch einen roten Farbstrich aufweist, hält das Männchen sie für einen Rivalen und greift sie an.

Ganz so primitiv sind Menschenmänner nicht gestrickt. Sie achten auf mehrere Signale und schauen auch genau hin, wie die weiblichen Attribute ausgeprägt sind. Sie wollen nicht irgendeine beliebige Frau, sondern eine, die ihren Schönheitsvorstellungen entspricht. Ihr Gehirn ist immer auf der Suche.

Den grundlegenden Mechanismus entdeckte der kanadische Neurologe James Olds vor 50 Jahren an Ratten. Er schob eine dünne Elektrode in den Hypothalamus, eine Region im Zwischenhirn. Sie löst die Suche nach Schlüsselreizen aus. Sind diese gefunden, erhält das Tier eine Belohnung in Form von guten Gefühlen. Olds schloss an die Elektrode einen Schalter an, der kurzzeitig Strom zuleitete, und installierte ihn im Käfig. Kaum hatten die Ratten den Zusammenhang kapiert, vergaßen sie alles Übrige und lösten mit ihrer Pfote ein Dauerfeuerwerk auf das eigene Gehirn aus. Sie belohnten sich mit bis zu 6000-mal Tastendrücken in der Stunde.

Die angenehmen Empfindungen entstehen, weil das Gehirn

auf den Reiz mit dem Ausschütten des Botenstoffes Dopamin antwortet. Durch ihn empfindet es die Stimulierung als lustvoll und strebt ihre Wiederholung an. Auch der Mensch verfügt über dieses Belohnungszentrum. Es reagiert auf Drogen wie Kokain, aber auch seelische Reize wie etwa den Anblick von viel Bargeld. Die Forscher Itzhak Aharon und Hans C. Breiter organisierten 2001 im US-Bundesstaat Massachusetts folgenden Test: Sie zeigten Männern Fotos von männlichen und weiblichen Gesichtern und maßen dabei ihre Gehirnaktivität. Erstes Ergebnis: Nur der Anblick von Frauen aktivierte ihr Belohnungszentrum. In einem zweiten Schritt durften die Jungs per Knopfdruck nach eigenem Wunsch ihre Lieblingsfotos für einen kurzen Moment zurück auf den Bildschirm holen. Wen wundert es – sie drückten den Knopf bis zu 6000-mal in 40 Minuten, um sich ausschließlich und immer wieder die hübschesten Frauen anzusehen.

Was in den Männern beim Anblick reizender Frauen vorgeht, versuchte der Psychologe James Roney von der Universität Chicago herauszufinden. Er und seine Kollegen luden Männer zwischen 18 und 36 Jahren zu einem Gespräch ein über ihren beruflichen Status, ihre Karrierehoffnungen und ihre momentane Gefühlslage. Unter einem Vorwand gönnten sie ihnen während der Befragung den Blick auf Fotos – teils von jungen schönen Frauen, teils von reiferen Damen über 50. Diejenigen, die junge Frauen gesehen hatten, schätzten ihre Stimmung und ihre berufliche Zukunft optimistischer ein.

Zwei Forscher aus Ontario (Kanada) erkannten, auf welche Weise sich das Denken der Männer verändert. Sie boten ihnen im Experiment an zu wählen, ob sie einen kleinen Geldbetrag sofort oder lieber einen größeren am nächsten Tag erhalten wollen. Während normalerweise jeder lieber für den größeren Geldsegen eine Wartezeit im Kauf nimmt, wählten auffällig viele Männer beim Anblick schöner Frauen das schnell verfügbare Geld, obwohl es viel weniger war.

Die Männer können nichts dafür. Dahinter steckt ein biologischer, unbewusster Mechanismus. Das zeigte David Zeld von der renommierten Yale-Universität im Sommer 2005. Er ließ Männer am Bildschirm Gedächtnisübungen absolvieren und blendete zwischendurch aufreizende Frauenbilder ein. Anschließend testete er, was die Männer von den Übungen im Kopf behalten hatten. Viel war es nicht. Erotische Bilder machen uns für einen kurzen Moment blind für andere Wahrnehmungen. Je kürzer der Zeitabstand zwischen beiden Signalen, desto größer die Gefahr, wegen des reizvollen Frauenbildes andere wichtige Mitteilungen zu verpassen.

Die britischen Forscher Andreas Bartels und Semir Zeki vom University College in London kamen auf die Idee, mit einem Magnetresonanztomographen zu beobachten, was im Innern eines Gehirns geschieht, während es den Anblick von Schönheit genießt. Zum einen stieg die Aktivität im Belohnungsschaltkreis, dem so genannten Nucleus accumbens, an. Zum anderen aber hörten ausgerechnet jene Bereiche auf zu arbeiten, mit denen wir sonst Mitmenschen kritisch unter die Lupe nehmen. Denn im Alltag sind wir ständig auf der Hut. Wir wappnen uns gegen die Möglichkeit, dass unser Gegenüber sich unangenehm verhält oder gar ausrastet. Dieses innere Alarmsystem fällt beim Anblick überwältigender Schönheit ins Koma. Nur die angenehmen Gefühle der Bewunderung bleiben wach.

Auch Frauen können eine solche Bewusstseinsveränderung erleben – wenn sie ihr eigenes Baby anschauen. Deswegen ist für junge Mütter immer das eigene Kind das schönste. Das männliche Gehirn dagegen reagiert auf ideale weibliche Kurven. Es verengt sein Blickfeld, weil es die momentane sinnliche Wahrnehmung genießt. Es drängt frühere Erfahrungen oder künftige Konsequenzen in den Hintergrund. Männer, die das Blaue vom Himmel versprechen und mit ihren Erfolgen prahlen, sind sich in dem Moment ihrer Übertreibungen nicht bewusst. Solange das sexy Girl ihnen zuhört, glauben sie selbst, der tolle Kerl zu sein, von dessen Heldentaten sie gerade schwärmen.

Was unterscheidet Schönheit von Sexappeal?

Zwischen Sexappeal und Schönheit gibt es Übereinstimmungen, aber auch Unterschiede. Ist eine Frau hässlich, leidet auch ihr Sexappeal. Andererseits kennt jeder das Phänomen der kühlen Schönheit – eine Frau, die ebenmäßig gebaut ist und dennoch über keinerlei erotische Ausstrahlung verfügt.

Was ist Sexappeal? Eine geschlechtstypische Ausstrahlung. Wer hat also Sexappeal? Frauen und Männer, die in hohem Maße über typische Merkmale ihres Geschlechts verfügen. Eine Frau mit kleineren Schönheitsfehlern, aber eindeutigen weiblichen Attributen, wird mehr Männer für sich begeistern als eine makellose Schönheit mit knabenhafter Ausstrahlung.

Also stimmen die Vorurteile? Ein kurzer Rock, lange blonde Haare und ausladende Kurven, das ist das Einzige, worauf die Kerle gucken? Haben sie für die subtile Ausstrahlung einer intelligenten, selbstbewussten Frau kein Empfinden?

Ein Minirock betont die Beine. Das ist ein eindeutiger erotischer Schlüsselreiz für uns Männer, ebenso wie Busen, Po und lange Haare. Den dünnen, langgewachsenen, kurvenlosen Models der Modebranche fehlen diese Attribute. Kein Wunder, mindestens ein Viertel der männlichen Modeschöpfer sind homosexuell und finden Knabenkörper schön. Ebenso sehen es viele ihrer Kundinnen. Das ist beabsichtigt. Die Frauen, die die Kleider kaufen, sollen sich mit den Models identifizieren. Den Frauen sollen sie gefallen, nicht den Männern! Die androgyne, knabenhafte Ausstrahlung der Models entspricht eher dem weiblichen Selbstbild. Die meisten Frauen möchten gern superschlank und groß sein. Das Urteil ihrer Männer lautet: irgendwie ebenmäßig gebaut, aber kaum Sexappeal.

Das führt zu Zielkonflikten. Ein Beispiel: Einem Mädchen unter 1,72 Meter ist der Weg zu einer Modelkarriere versperrt. Da kann sie noch so schön sein. Doch gerade dieses Handicap eröffnet ihr größere Chancen beim andern Geschlecht. Da Männer in der Regel nach einer kleineren Partnerin Ausschau halten, hat eine Frau eine umso größere Auswahl, je kleiner sie ist. Ähnlich sieht es beim Körpergewicht aus. Männer halten Ausschau nach Frauen, die schön, also gesund aussehen. Das ist bei den Models an der Grenze zur Magersucht, die über die internationalen Laufstege spazieren, nicht der Fall.

Die Frauen sind sich der Diskrepanz auch bewusst. Ein amerikanischer Psychologe legte Frauen weibliche Silhouetten vor – von rappeldürr bis kugelrund – und fragte: Welche davon entspricht etwa Ihrer Figur? Die Frauen tippten auf eine Silhouette, die im Schnitt 15 Prozent dicker war als sie selbst. Die nächste Frage: Wie würde Ihr Partner Sie gerne haben? Darauf wählten sie eine schlankere Gestalt. Letzte Frage: Wie würden Sie selbst gern aussehen? Die Frauen zeigten auf eine noch dünnere Figur.

Ein Blick in die bunten Magazine am Kiosk bestätigt die verzerrte Selbstwahrnehmung. Die Mädchen im *Playboy* wiegen etwa 17 Prozent weniger als die Normalfrau. In den Frauenzeitschriften unterschreiten die Models das Durchschnittsgewicht sogar um 23 Prozent.

Dreiviertel aller Frauen halten eine Figur mit Untergewicht für besonders attraktiv. Männer beklagen sich immer wieder über den Schlankheitswahn ihrer Partnerinnen. Sie selbst bevorzugen die Kategorie »stramm bis mollig« – und erkennen damit spontan das gesündeste Körpermaß. Denn Menschen mit leichtem Übergewicht haben die höchste Lebenserwartung. Sie übertreffen sogar Normalgewichtige um einige Prozent. Das entdeckte die US-Forscherin Katherine Flegal, als sie eine umfangreiche Datensammlung auswertete, die von 1971 bis heute reicht.

Frauen, die verzweifelt vor dem Spiegel in ihre Bauch- und Hüftpolster kneifen und am liebsten nur aus Haut und Knochen bestehen möchten, fürchten nicht das Urteil ihrer Männer. Sondern das der anderen Frauen. Vor deren Augen wollen sie bestehen. Im Wettbewerb »Wer ist die Schönste im ganzen Land?« regiert der Rivalinnen-Effekt. Das konnte Maryanne Fisher von der York-Universität im kanadischen Toronto beweisen. Die Forscherin wollte wissen, wie Frauen die Attraktivität anderer Frauen einschätzen. Sie stellte fest, dass sich diese Einschätzung während der fruchtbaren Tage ändert. In dieser Zeit hielten sie die Rivalinnen für hässlicher als sonst. Also sich selbst für schöner. Männer blieben für sie dagegen die ganze Zeit gleich attraktiv. Das stimmt mit den Ergebnissen des Verhaltensforschers Karl Grammer überein. Er beobachtete schon Anfang der neunziger Jahre in Wiener Diskotheken, dass die Mädchen während ihres Eisprungs mehr Haut zeigen, also stärker an ihre erotische Ausstrahlung glauben, als sonst.

Sind Männer wirklich so simpel gestrickt? Umschwirren sie die halbnackten Schönheiten wie Motten das Licht? Lassen sie dezent gekleidete Frauen unbeachtet stehen?

Sexappeal beginnt im Gesicht

Wer glaubt, Männer schauten allein auf eindeutige Körperformen, irrt. Der Blick auf die Figur dient nur einer ersten Grobeinschätzung. Genau wie Frauen orientieren sich Männer im Gesicht, denn dort finden sie die entscheidenden Informationen über das Alter, die Laune, die momentanen Gefühle und viele andere subtile Details.

Sie haben bestimmt schon einmal folgende Erfahrung gemacht: Sie gingen hinter einer unbekannten Person und dachten: Aha, ein junger Mann. Dann drehte sie sich um – und Sie erblickten eine hagere Lady im fortgeschrittenen Alter.

Der Gang, die Haartracht und die Umrisse der Gestalt liefern oftmals keine eindeutigen Hinweise auf das Geschlecht. Anders das Gesicht. Das bewies ein Team der Uni Nottingham unter Leitung der britischen Psychologen Vicky Bruce und Mike Burton. Sie versteckten die Haare von Frauen und glattrasierten Männern unter neutralen Badekappen. Dann fotografierten sie ihre Gesichter und baten Freiwillige, die Bilder nach dem Geschlecht zu sortieren. Zeigte das Foto einen Mann oder eine Frau? Sie benötigten nur 0,6 Sekunden, um sich zu entscheiden. Die Trefferquote lag bei 96 Prozent! Oder anders ausgedrückt: Bei 25 Gesichtern irrten sich die Beurteiler nur einmal. Dabei kommt es eher vor, dass eine Frau mal für einen Mann gehalten wird als umgekehrt.

Diese Genauigkeit im Urteil ist erstaunlich. Denn es gibt keine einzige Eigenschaft, die ein Gesicht eindeutig weiblich oder männlich macht. Wir betrachten vielmehr mehrere Merkmale gleichzeitig und wägen ihr Verhältnis zueinander ab. Augen und Brauen spielten eine Schlüsselrolle. Wenn man sie verdeckte, tippten die Versuchspersonen nur noch zu 76,6 Prozent richtig. Ein typisch männliches Gesicht hat

- ein großes Untergesicht, insbesondere ein beinahe quadratisches Kinn,
- einen breiten Hals,
- volle Backen und hervorstehende Wangenknochen,
- gerade, dicke Augenbrauen und einen ausgeprägten Augenbrauenwulst,
- eine große, lange Nase.

Ein typisch weibliches Gesicht hat
- ein große, glatte Stirn,
- ein kleines Untergesicht und ein schmales Kinn mit deutlichem Kinnpolster,
- schmale gebogene Augenbrauen,

- große Lippen und Augen,
- eine kleine, kurze Nase.

In einer Studie des Psychologen David Perrett unterschieden sich die reizendsten Frauen von den unauffälligen in folgenden Punkten: Sie besaßen größere Augen, dünnere Kiefer und einen kleineren Abstand vom Mund zum Kinn. Genau diese Punkte sind Übertreibungen von Merkmalen, in denen sich die weiblichen Gesichter von männlichen am stärksten unterscheiden.

In den meisten Gesichtern mischen sich männliche und weibliche Anteile. Ein breites Kinn oder eine lange Nase kommen bei Frauen gar nicht so selten vor. Der zufällige Betrachter urteilt unwillkürlich: »Unweiblich.« Nicht zu Unrecht, denn dahinter steckt meist ein erhöhter Testosteronspiegel. Ebenso vermittelt ein Mann mit fliehendem Kinn einen weiblichen Eindruck. Umso verwunderlicher ist es, dass wir uns von dieser Mischung nicht verwirren lassen und in fast allen Fällen das Geschlecht richtig erkennen. Über Sexappeal verfügt ein Gesicht jedoch nur dann, wenn es geschlechtstypisch aussieht. Wenn keine einander widersprechenden Merkmal unser Urteil verunsichern. Wenn wir in Sekundenbruchteilen zweifelsfrei erkennen, ob wir Männlein oder Weiblein vor uns haben.

Marlene Dietrich ließ sich einst ihre Backenzähne ziehen, um ihre Wangen schmaler und damit ihr Antlitz erotischer wirken zu lassen. Heute gehören Nasenkorrekturen und Stirnfalten glätten zu beliebtesten Schönheitsoperationen im Gesicht. Sie sollen die weibliche Ausstrahlung erhöhen.

Haben wir das Antlitz sicher zugeordnet, lassen wir uns von der Figur nicht mehr verwirren. Sitzt ein Männergesicht auf schmalen Schultern und dicken Hüften, werden wir trotzdem nicht auf einen Frauenkörper schließen. Was auch vernünftig ist. Denn Muskeln und Körperfett verändern sich leicht. Es genügt eine aktive oder sitzende Lebensweise. Nicht so Augen, Nase, Wangen und Kinn. Die Geschlechtsbeurteilung nach dem Gesicht ist zuverlässiger als die nach der Figur. Daher vertrauen wir stärker diesen Informationen. Bestätigt allerdings die Körperform, was wir aus dem Gesicht schon herausgelesen haben, erhöht sich der Sexappeal.

Typisch weiblich, typisch männlich

Ob Gesicht oder Figur – in beiden Fällen sind Schönheit und Sexappeal nicht dasselbe. Schönheit wächst mit der Durchschnittlichkeit. Anders der Sexappeal. Er nimmt zu, je typischer das Individuum männlich oder weiblich ist. Das bedeutet, dass einige Merkmale vom Mittelmaß abweichen. Allerdings nicht bis ins Extrem. Eine ordentliche Oberweite fördert die weibliche Ausstrahlung. Werden die Brüste jedoch auf Ballonformat aufgebläht, lautet das Urteil »monströs«. So etwas begeistert höchstens einige Fetischisten.

Schon das berühmte 90-60-90-Maß widerspricht der klassischen Schönheit. Es verlangt, Unvereinbares an ein- und demselben Körper unterzubringen. Ein Brustumfang von 90 Zentimetern gehört zu der Konfektionsgröße 40. Eine 60-er Taille ist so superschmal, dass sie noch unter der Größe 34 liegt. Eine Hüfte von 90 Zentimetern dagegen ist ein machbares Schlankheitsideal. Es passt zur Kleidergröße 36. Was kann ein Mädchen tun, wenn sie diese Maße anstrebt? Sie muss von Natur Größe 36 tragen, sich die Taille einschnüren oder herunterhungern und den Busen vergrößern lassen – genau der Weg, den viele junge Mädchen gehen, die von einer Karriere im Showbusiness träumen. Marilyn Monroe hatte übrigens Konfektionsgröße 40 bis 42. Sie brauchte heutzutage bei keinem Casting mehr anzutreten. Mit ihrer Figur würde sie schon in der Vorauswahl scheitern.

Ähnlich sieht es mit den Beinen aus. Im idealen Schönheitsmaß sind sie halb so lang wie der ganze Körper. High Heels und Minirock erlauben es Frauen, ihre Beine optisch zu verlängern, denn diese Übertreibung steigert den Sexappeal. Warum? Während der Pubertät wachsen die Beine schneller als der übrige Körper. Einige Jahre lang besitzen sie Überlänge. Doch bis zum 20. Geburtstag wächst der Rumpf nach. Überlange Beine sind daher ein Schlüsselreiz für die Kopplung von sexueller Reife mit Jugend. Fotografen knipsen die Mädchen gern aus der Bodenperspektive – auch dies lässt die Beine länger und schlanker wirken. Wenn das noch nicht genügt, nutzen sie spezielle Bildbearbeitungsprogramme, um den ohnehin schon langen Beinen ihrer Models am Computer noch ein paar Prozent hinzuzufügen. Was geschieht, wenn Betrachter diesen Anblick für ein getreues Abbild der Realität nehmen? Im November 2002 meldete sich ein Mädchen bei PRO 7 mit der Frage, in welcher Schönheitsklinik sie ihre Beine operativ verlängern lassen könne. Sie wolle Model werden.

Groß, schlank und zugleich kurvenreich – nach seriösen Schätzungen verfügen weniger als fünf Prozent aller Frauen über solche Maße.

Erotische Ausstrahlung hat viele Gesichter

Sexappeal ist die scharfe Prise Pfeffer in dem perfekten, aber gleichförmigen Gericht Schönheit. Das klassische Ebenmaß blieb über Jahrhunderte gleich. Die antike Statue der Venus von Milo bleibt ewig schön. Der Sexappeal jedoch unterliegt der Mode – je nachdem, was gerade als besonders reizvoll gilt. Mal zeigen die Frauen freizügig ihr Dekolleté, verbergen aber ihre Beine unter langen Kleidern oder weiten Hosen. Dann wieder ziehen sie kurze Röcke an und schließen ihre Blusen bis zum Hals. Schließlich wechseln sie zu bauchfreien Tops und verdecken Schultern und Knie.

Der Sexappeal entsteht durch das Wechselspiel von Enthüllen und Verbergen. Eine Frau, die alle Reize zugleich betont, erreicht genau das Gegenteil des Beabsichtigten. Sie wirkt reizlos, »billig«. Mode lebt von der Abwechslung. Sie hebt mal den einen Reiz, mal den anderen hervor und verbirgt die übrigen. Dadurch wird das Spiel mit der angedeuteten Erotik niemals langweilig, und die Kundinnen kaufen in jeder Saison des Modeschöpfers neueste Kreationen.

Der Zeitgeist tauscht nicht nur die Kleider aus, sondern auch Frauentypen. Manche wechseln einander ab wie die Modestile, andere machen einander zur gleichen Zeit Konkurrenz. Einige Beispiele:

Matrone: Seit dem alten Rom der Typ einer gestandenen Familienmutter. Sie strahlt eine umsorgende, Geborgenheit versprechende Erotik aus. Sie ist zwischen 30 und 50, hat Erfahrung und mehrere Kinder. Obwohl dieser Frauentyp in den Modejournalen ausgestorben scheint, gibt es nicht wenige Männer, die diese warmherzigen, reifen und verständnisvollen Frauen anbeten.

Lolita: Frühreifes Früchtchen, das gerade erst in die Pubertät gekommen und sich seiner Wirkung auf Männer genau bewusst ist. Sie genießt die Aufmerksamkeit der älteren Herren und macht sich mit ihren Freundinnen über sie lustig. Die Umgangsregeln: Eis spendieren und Spritztouren ja, anfassen nein. Lolitas sind vor allem eine männliche Phantasiegestalt. Madonna und Britney Spears haben mit einem genau kalkulierten Lolita-Image ihre Weltkarrieren gestartet.

Kindfrau: Erwachsene Frau mit mädchenhaften Zügen. Verschiedene Kombinationen sind möglich: Über 30 Jahre, mit mädchenhafter Figur und unter 1,65 Meter. Vollentwickelte Körperrundungen und kindlicher Schmollmund. Männer finden in ihr eine Partnerin, die ihre Beschützerinstinkte aktiviert. Das berühmteste Beispiel war Brigitte Bardot.

Amazone: Selbstbewusste, moderne Frauen, die ihr Leben allein in die Hand nehmen. Der Name leitet sich von einem sagenhaften Kriegerinnenvolk im Gebiet der heutigen Türkei her. Amazonen sind schlank, stark und kämpferisch, aber keine Mannweiber. Sie verbinden Kraft, Schnelligkeit und Geschick mit weiblicher Anmut wie die Computerspielheldin Lara Croft.

Barbie: Millionen von Mädchen formten an der berühmten Puppe ihr Selbstbild. Die meisten finden irgendwann andere Ideale. Doch eine nicht unerhebliche Minderheit versucht auch als Erwachsene noch einer Barbie zu gleichen. Einige legen sich dafür dutzendfach unters Messer, färben ihr Haar strohblond und gehen nur in rosa Kleidern auf die Straße.

Twiggy: Das gleichnamige Model mit Kurzhaarschnitt und Knabenfigur beendete das Zeitalter der Familienmütter. Sie verkörperte in den sechziger Jahren das Ideal des Feminismus – ein Mischwesen zwischen Mann und Frau. Eine Erotik zwischen Gleichen, mit einem Trend zur Bisexualität. Mit nur 42 Kilo Gewicht bei 1,70 Meter Körperhöhe leitete sie das Zeitalter von Schlankheitswahn und Magersucht ein.

Girlie: Möglichst schnell vom Kind zur Frau werden? Für moderne, flippige Mädchen keine Alternative! Sie spielen mit dem Luder-Image, kombinieren Minirock und Springerstiefel, provozieren, inszenieren ihre Individualität und scheuen sich nicht, als bunte Paradiesvögel aufzufallen.

Femme fatale: Marlene Dietrich sang einst als fesche Lola: »Männer umschwirren mich wie Motten das Licht, doch wenn sie verbrennen, ja, dafür kann ich nichts.« Ob als männermordender Vamp, lasterhafte Göre oder gar als männlicher Travestiekünstler – die Femme fatale kann sehr wohl etwas dafür, wenn Männer sich an ihr die Finger verbrennen. Sie setzt ihre Reize als »Biowaffe« mit der strategischen Absicht ein, die sonst so überlegenen Herren ihrem Willen zu unterwerfen.

Das ist nur eine kleine Auswahl. Da wäre noch die selbstbeherrschte Erotik der kühlen Blonden wie Grace Kelly, die Rehaugen einer naiven Unschuld à la Audrey Hepburn, die impulsive Vitalität der Rothaarigen oder die geheimnisvolle Exotik heißer Südländerinnen.

Auf welchen Typ Frau Männer heutzutage am meisten abfahren, hat im Herbst 2003 die *Freundin*-Redakteurin Birte Plöger getestet. Sie stylte sich in fünf Varianten: als coole Lady, als sexy Vamp, als brave Tochter, als guten Kumpel und als süßes, natürliches Mädchen. Die fünf Fotos stellte sie auf Datingseiten im Internet und zählte nach zwei Wochen die eingegangenen Mails. Die wenigsten Zuschriften brachten die gute Kumpeline und der Vamp ein. Sieger mit viermal so viel Post wurde der Typ Natur-Beauty.

Natürlichkeit kommt an. Auf Schönheit achten laut Umfragen mehr als 80 Prozent der Deutschen, auf ein natürliches Aussehen sogar über 90 Prozent. Die Befragten verbanden mit natürlichem Aussehen Eigenschaften wie Humor, Offenheit, Warmherzigkeit und Selbstbewusstsein. Schon Claudia Schiffer hatte mit diesem Look Millionen verdient. Auf künstliche Inszenierungen reagieren Männer – und Frauen – mit misstrauischer Zurückhaltung. Das wissen auch die Schönheitsprofis. Sie treiben einen mehrstündigen Aufwand, um ihr Model so aussehen zu lassen, als wäre sie direkt aus dem Bett vor ihre Kamera gehüpft. Nichts ist so mühselig zu vermitteln wie der Eindruck von Mühelosigkeit.

Was der Sexappeal über die Gesundheit verrät

Das Mittelmaß der Schönheit soll Gesundheit anzeigen. Die Abweichungen vom Mittelmaß, die den Sexappeal erzeugen, ebenfalls. Ein Widerspruch? Beim Sexappeal geht es um einen speziellen Aspekt der Gesundheit – die Fähigkeit, schwanger zu werden und gesunde Kinder zu gebären. Je kurviger eine Frau, desto höher ihre Fruchtbarkeit. Das fand eine internationale Forschergruppe heraus, als sie den Hormonspiegel von

119 Frauen prüfte. Frauen mit voller Oberweite und schmaler Taille haben im Schnitt 26 Prozent mehr von dem Geschlechtshormon Östradiol im Blut als Frauen ohne Kurven. Der Wert schwankt. In der Zyklusmitte – während der fruchtbaren Tage – beträgt der Unterschied sogar bis zu 37 Prozent.

In einer anderen Studie nahmen schottische Forscher von 56 jungen Frauen eine Blutprobe, um ihre Sexualhormone zu messen. Dann fotografierten sie diese Frauen. Ihre Fotos legten sie 14 Männern und 15 anderen Frauen vor. Sie baten sie, anhand der Bilder zu beurteilen, wie attraktiv, gesund und feminin die jungen Frauen wirken. Die Frauen mit den höchsten Östrogenwerten erreichten die besten Beurteilungen – und zwar ebenso von Männern wie von Frauen. Legten die jungen Frauen vor dem Foto-Shooting ein sexy Make-up auf, ergab sich kein Zusammenhang zwischen Hormonen und Attraktivität. Nur der natürliche, ungeschminkte Sexappeal verrät uns auf den ersten Blick, welche Frauen besonders viel Hormone haben. Und damit eine hohe Fruchtbarkeit.

Für die Überhöhung ausgewählter körperlicher Merkmale hatte die Natur handfeste Gründe:

Po. Er war schon ein sexuelles Reizsignal, als unsere Vorfahren noch auf allen vieren liefen. Ihr Gesäß befand sich in seiner Augen- und Nasenhöhe. Es lieferte ihm zwei wichtige optische Informationen – Symmetrie und Größe. Zwei gleichgeformte Backen ließen auf eine gesunde Besitzerin mit starken Abwehrkräften schließen. Die Größe verriet, wie gut sie genährt war. Außerdem betonten sie den Geschlechtsunterschied. Ein Mann besaß wegen der notwendigen Lauftüchtigkeit als Jäger eher einen kleinen, muskulösen Hintern. Frauen diente der Hintern als Fettreserve, um auch in Hungerzeiten neun Monate Schwangerschaft durchzustehen. Außerdem zieht ein breites Becken automatisch einen größeren Po nach sich – eine Bedingung für gesunde Geburten.

Brüste: Für das Nähren der Säuglinge sind sie überflüssig.

Das beweist der Blick auf unsere nächsten Verwandten wie Schimpansen oder Orang-Utans, deren Weibchen trotz flacher Brust ihre Jungen säugen. Nach der Theorie des englischen Verhaltensforschers Desmond Morris ersetzten die runden Brüste den Anblick der Pobacken, als der Sex von Angesicht zu Angesicht üblich wurde. Seit dem aufrechten Gang befinden sich die Augen nicht mehr in Pohöhe, daher der Wechsel zur Vorderansicht. Die Form der Brüste liefert dem Mann drei Informationen:

- Vorhanden: Zeigt weibliches Geschlecht und Erreichen der Pubertät an.
- Fest und rund oder hängend: Zeigt an, ob sie schon Kinder geboren hat.
- Grad ihrer Symmetrie in Größe und Form: Zeigt an, ob sie eine gesunde oder eine gestörte körperliche Entwicklung durchlaufen hat.

Der menschliche Säugling hat im Unterschied zu allen Affen keine vorspringenden Kiefer mehr. Damit besteht die Gefahr, an einer flachen Brust beim Saugen zu ersticken. Auch das könnte die Entwicklung runder Brüste gefördert haben, vermutete die amerikanische Anthropologin Gilian Bentley.

Hüften: Das weibliche Becken ist ein Kompromiss zwischen den Erfordernissen des aufrechten Ganges und der notwendigen Mindestgröße für die Geburt eines Kindes. Die langen dünnen Models sind sicher sportlicher gebaut als der Durchschnitt der Frauen. Aber ob sie ohne Probleme Kinder auf die Welt bringen könnten? Moderne medizinische Technik kann so manches Handicap wettmachen, doch der männliche Blick, der sich an den Normen der Urhorde schulte, bleibt skeptisch. Er vermisst ein wichtiges Fruchtbarkeitssignal. Er bevorzugt Hüften, die rund ein Drittel umfangreicher als die Taille sind.

Beine: Was haben schöne Beine mit Fruchtbarkeit zu tun? Während einer Schwangerschaft haben sie zehn bis 15 Kilo mehr zu tragen. Straffe, aber nicht zu dicke Beine können dieses Zusatzgewicht balancieren, ohne die Fähigkeit zu schnellerem Laufen im Gefahrenfall einzubüßen. Zudem verschiebt der sich vorwölbende Bauch den Körperschwerpunkt nach vorn. Je länger die Beine, desto leichter können sie diese Veränderung ausgleichen.

Zugleich verraten die Beine eine Menge über den übrigen Körper. Sind sie wohlgeformt, ist auch der Rest gut in Form. Glatte Oberschenkel erlauben eine zuverlässige Einschätzung des biologischen Alters. Mit den Jahren nimmt die Neigung zur Cellulite zu – was übrigens keine Krankheit ist, sondern eine normale Folge der Struktur weiblichen Bindegewebes. Übergewicht und Bewegungsmangel machen die kleinen Dellen sichtbar, sind aber nicht ihre Ursache.

Nach einer Studie der Bonner Universität leidet fast jede zweite Frau des Öfteren an »dicken Beinen«, jede fünfte hat eine behandlungsbedürftige Venenerkrankung. Die Beine verraten deutlicher als jeder andere sichtbare Körperteil, wie fit Herz und Blutgefäße sind. Die Venen in den Beinen sind das schwache Glied in der Kette des Kreislaufs. Sie pumpen sauerstoffentleertes Blut gegen die Schwerkraft Richtung Herz. Damit die Flüssigkeit nicht wieder zurücksackt, sind die Venen alle sechs Zentimeter mit Klappen ausgestattet, die sich sofort schließen, wenn der Fluss stockt. Diesen Lift trainieren wir jedes Mal, wenn wir gehen oder rennen, weil sich dabei die Wadenmuskeln zusammenziehen und wieder strecken. Wer häufig sitzt oder steht, bei dem leiert der körpereigene Fahrstuhl aus. Die Venenklappen schließen nicht mehr richtig, das Blut staut sich in den Beingefäßen – Krampfader-Alarm!

Es ist also mehr als eine Marotte überschießenden Testosterons, wenn sich ein Mann von schönen Beinen magisch angezogen fühlt.

Warum Körperkraft uns stärker fasziniert als ein kluger Kopf

Ist es nicht sonderbar, dass die Beherrscher
des menschlichen Geschlechts den Lehrern
desselben so sehr an Rang überlegen sind?

Georg Christoph Lichtenberg

Zwei Sternenreisende vom Sirius erforschen unser Sonnensystem. Der eine meldet: »Die Erdlinge nennen ihre Frauen das schöne und die Männer das starke Geschlecht.«

Sagt der andere: »Das kann nicht stimmen. Die Frauen verbringen jede Menge Zeit vor dem Spiegel, um ihr Aussehen zu verbessern, während die Männer sich mit ihrer natürlichen Schönheit begnügen. Die Männer wiederum stemmen Gewichte, während die Frauen ihre naturgegebene Körperkraft für ausreichend halten. Also verhält es sich genau umgekehrt. Die Frauen sind das starke, die Männer das schöne Geschlecht.«

Sport ist uns teurer als Kunst und Kultur

Was macht einen Mann attraktiv? Auch Frauen achten beim anderen Geschlecht vorrangig auf Symmetrie. Das konnten amerikanische Forscher an Tänzern nachweisen. William Brown und seine Kollegen von der Rutgers-Universität im New Brunswick (US-Bundesstaat New Jersey) bewiesen anhand von Filmaufnahmen, dass gute Tänzer symmetrischer gebaut sind als ungelenke Männer. Als sie Zuschauer baten, die Tänzer zu beurteilen, zeigte sich: Frauen bevorzugten Tänzer mit einem ausgewogenen Körperbau viel stärker als der männliche Teil des Publikums.

Kein Wunder – Männer begeistert an anderen Männern in erster Linie Kraft und Schnelligkeit. Daher ihre Sportbegeisterung. Wenn am Samstagabend die Spiele der Bundesliga laufen, schlagen Millionen Männerherzen höher. Streng genommen ist Fußball nur ein Hobby unter vielen. 99 Prozent der Fans betreiben es nicht einmal aktiv. Dennoch nimmt es in vielen Köpfen einen größeren Platz ein als Familie und Beruf. Welche Rolle Sportbegeisterung im Alltag spielt, zeigen folgende Tatsachen:

- Schon bei Schulkindern zählt Wetteifern mit der Körperkraft mehr als gute Zensuren, um die Anerkennung der Kameraden zu erringen. Selbst der Primus beweist sich beim Armdrücken und Prügeleien. Lasche intelligente Kinder rutschen im Status nach unten, begriffsstutzige Sportskanonen nach oben.

- Fitness-Studios können Jahresbeiträge von 1000 Euro und mehr verlangen. Bibliotheken blieben schon bei einem Zehntel solcher Gebühren leer.

- Die Sportbeilagen der großen Tageszeitungen sind oftmals umfangreicher als die für Wirtschaft und Familie.

- Keine anderen Senderechte werden im Fernsehen stärker umkämpft und höher bezahlt. Die Übertragungsrechte der Bundesliga kosten an die 500 Millionen Euro im Jahr.

- Formel 1 und Spitzenspiele der Nationalelf bringen in Deutschland Topeinschaltquoten von mehr als zehn Millionen Zuschauern. Bei anderen Sendungen bleiben solche Zahlen der absolute Ausnahmefall.

- Bundesligaspiele sind die einzige Großveranstaltung, die Woche für Woche zuverlässig mehrere zehntausend zahlende Fans auf ihr Gelände lockt.

- Die größte Dichte an Millionären trifft man nicht in Vorstandsetagen, sondern auf dem Rasen der Bundesligateams an.

Der Blick auf gezahlte Gehälter liefert einen verlässlichen

Maßstab, um die gesellschaftliche Bedeutung einer Berufs-
gruppe zu ermitteln. Das gilt nicht nur für Chirurgen, Richter
oder Manager, sondern auch für Profisportler. Am 16. Juni
1989 titelte die BILD-Zeitung: »Bundesliga-Wahnsinn! Waas
verdient 1,2 Millionen im Jahr.« Die Rede war von dem heute
fast vergessenen Stürmer Herbert Waas. Er begann bei 1860
München, wechselte 1982 zu Leverkusen und verhandelte
1989 mit Stuttgart. Bei diesem Anlass kam heraus, wie viel
Bayer Leverkusen ihm zahlte: 1,2 Millionen Mark. Damals
ärgerten sich die Fans an den Stammtischen. Heute verdienen
Nationalspieler mehr als das Fünffache, und alle Welt findet
das normal.

Die meisten Spitzensportler sind durchaus auskunftsfreu-
dig, wenn die Medien sie interviewen. Außer wenn es um ihr
Einkommen geht. Daher war die Aufmerksamkeit groß, als die
Presse Anfang 2003 ausnahmsweise mal eine Liste der Top-
Ten-Spitzenverdiener im Sport veröffentlichte. Vergleichen Sie
bitte die untenstehenden Jahreseinkünfte 2002 wieder mit den
1,1 Millionen Euro der Nobelpreisträger für ihr Lebenswerk:

1. Michael Schumacher	Formel-1-Rennfahrer	50	Mio Euro
2. Dirk Nowitzki	Basketballer	14,5	Mio Euro
3. Ralf Schumacher	Formel-1-Rennfahrer	14	Mio Euro
4. Boris Becker	Tennisspieler	12	Mio Euro
5. Bernhard Langer	Golfspieler	10	Mio Euro
6. Sven Ottke	Profiboxer	8	Mio Euro
7. Oliver Kahn	Fußballtorwart	7	Mio Euro
8. Olaf Kölzig	Eishockey-Nationaltorwart	6	Mio Euro
9. Steffi Graf	Tennisspielerin	5,5	Mio Euro
10. Michael Ballack	Fußballstürmer	5	Mio Euro

Die beiden Tennisstars Steffi Graf und Boris Becker sind längst
nicht mehr aktiv. Allein die Vermarktung ihres vergangenen
Ruhmes brachte ihnen genug ein, um in die Top Ten zu ge-

langen. Ralf Schumacher sagte über seine Einkünfte: »Ich fühle mich nicht überbezahlt. Ich muss mir auch meine Rente sichern.« Die gleichen Sorgen plagten Sven Ottke: »Ich kämpfe weiter – bei der unsicheren Rentenlage möchte ich noch ein paar Cent verdienen.« Am 28. März 2004 hatte er seine persönliche Rentenlücke geschlossen. Mit 36 Jahren warf er das Handtuch für immer und beendete seine Laufbahn mit einem Punktesieg gegen den Schweden Armand Krajnc.

Die Spitzenhonorare der Superprofis sind nur ein Bruchteil der Summen, die sie den Veranstaltern ihrer Wettkämpfe einspielen. Eine Bundesligamannschaft zum Beispiel agiert im Laufe eines Jahres vor rund einer Million Fans. Ein Opernhaus, dessen Eintrittskarten ungefähr genauso teuer sind und das jeden Abend eine Vorstellung auf dem Programm hat, schafft das in zehn Jahren nicht. Daher sind Fußballklubs Großunternehmen, Theater dagegen hochsubventionierte Treffs für Minderheiten, die ohne kräftige Finanzspritzen der Kommunen sofort Konkurs anmelden müssten.

Warum ausgerechnet Fußball?

7,5 Millionen Euro kostete der bis dahin teuerste deutsche Film, der im Oktober 2003 in die Kinos kam. Sein Erfolg rechtfertigte die Kosten. »Das Wunder von Bern« erzählte die Geschichte des elfjährigen Matthias Lubanski, der sich in dem Nationalspieler Helmut Rahn eine Art Wunschvater geschaffen hatte. Bei seinem echter Vater, der als Spätheimkehrer nach Essen kommt, fällt im letzten Moment der Groschen: Als sich das deutsche Team um Fritz Walter unerwartet ins Finale der Fußball-WM schießt, fahren Vater und Sohn zum Endspiel nach Bern, und das Wunder nimmt seinen Lauf.

Schon vor dem Film war das entscheidende Tor gegen die favorisierten Ungarn so legendär wie Wirtschaftswunder und

Mauerfall. Für viele symbolisiert der Weltmeistertitel von 1954 den Beginn des neuerwachten Selbstbewusstseins: »Wir sind wieder wer!« Seitdem definieren sich die Deutschen als Fußballnation und nicht mehr als das Volk der Dichter und Denker. Was schon Ende der Fünfziger den Schriftsteller Arno Schmidt zu der Klage veranlasste: »Die Verleihung der Literaturpreise in der Mainzer Akademie hat der Südwestfunk nicht übertragen: aber der Vater der Fußballspieler Walter wurde 'ne halbe Stunde interviewt.«

Noch auffälliger war die Diskrepanz in der DDR. Die SED-Führung setzte offiziell auf den wissenschaftlich-technischen Fortschritt, um den Westen zu überrunden. Sie organisierte ein vorbildliches Bildungssystem, an dem andere Länder sich orientierten. Finnland führte seine Erfolge in der PISA-Studie – Platz 1 im Lesen, Platz 4 im Rechnen und Platz 3 bei den Naturwissenschaften – auf das Kopieren dieses Modells zurück. Worauf es den Parteichefs der DDR aber wirklich ankam, das waren sportliche Siege. In den Medaillenspiegeln der Olympischen Spiele stets den dritten Platz hinter der Sowjetunion und den USA zu erobern, das brachte Prestige! Wenigstens hier besser als die ungeliebten Westbrüder abschneiden! So knapp auch Dollars und D-Mark sein mochten, für die Ausrüstungen der Spitzenathleten war immer Geld da. Nur im Fußball blieben zum Ärger von Honecker und Co. die Westdeutschen vorn. So enthusiastisch auch das Siegestor des Magdeburgers Jürgen Sparwasser gegen die Westauswahl in der Vorrunde der WM 1974 gefeiert wurde – am Ende schied die DDR-Mannschaft aus, und die Bundesrepublik errang den Titel. Dass die DDR ausgerechnet in der populärsten Sportart nicht die Überlegenheit des Sozialismus beweisen konnte!

Weshalb ist Fußball so beliebt? Warum können Boxer und Radfahrer ihm nicht den Rang ablaufen? Sporthistorikern war schon lange aufgefallen, dass der Niedergang der Jagden und der Aufstieg der Ballsportarten zeitlich zusammenfielen. Während der Adel in der Mitte des 19. Jahrhunderts verarmte und sich die aufwendigen Fuchsjagden kaum noch leisten konnte, suchten Bürger und Arbeiter preiswertere Freizeitvergnügen. Es schlug die Stunde des Fußballs als symbolischer Treibjagd. Stürmer, Verteidiger und Torwart übernahmen die Rolle von Treibern, Hundeführern und Schützen.

Die Rollenaufteilung stammt aus der Stammesgesellschaft. Mit bloßem Speer auf Löwen oder Nashörner loszugehen, wäre glatter Selbstmord gewesen. Um riesige Mammuts erlegen zu können, trieben die Männer die Kolosse unter Lärm und Drohgebärden zu Felsvorsprüngen, an denen sich die Tiere zu Tode stürzten. Heute »versenken« die Mannschaften symbolisch Bälle in netzbespannte Kästen. An Stelle der Naturgewalten ist ein gegnerisches Team getreten, das den Kampf um das weiße Leder erschwert. Das bringt Spannung in die nachgestellte Jagd, weil es dem männlichen Hang nach Konkurrenz und Kräftemessen entgegenkommt. Vielleicht erlebten unsere Vorfahren schon, wie zwei Horden dieselbe Mammutherde jagten und sich den Erfolg streitig machten. Auch dass Kinder und Frauen die Männer anfeuerten – vor allem nach längeren Hungerzeiten –, mag damals vorgekommen sein.

Wie Fußballresultate die Arbeitsmotivation beeinflussen

Bei uns und in Südamerika dreht sich alles um Fußball. In anderen Kulturen füllen Baseball, Rugby oder Eishockey seine Rolle aus. Mannschaftssport, der um Ballbesitz kämpft, spricht überlebenswichtige Instinkte an. Die Jagd auf bewegliche Nahrung entschied über Sein oder Nichtsein. Kein Wunder, dass ihre spielerische Variante Millionen Männer stärker mitreißt als ihre Routinejobs, in denen sie weder Unsicherheiten noch den Thrill der Gefahr erleben.

Der stressigste Job kann daher Vaters Fußballbegeisterung nicht bremsen. Zugleich gilt die Umkehrung: Fußballerfolge verbessern die Arbeitsmotivation. Interne Untersuchungen in der DDR ergaben: Die Produktion in den volkseigenen Betrieben stieg am Montag an, wenn am Sonntag die heimische Mannschaft gewonnen hatte.

Typisch Sozialismus? Durchaus nicht. Der britische Ökonom Bill Gerrard und seine Mitarbeiter von der University Business School in Leeds verglichen 2003 die Resultate der englischen Nationalmannschaft mit dem Auf und Ab der Aktienkurse der 100 größten britischen Firmen. Nach einem Sieg nahm der Aktienindex im Schnitt um 0,3 Prozent zu. Eine Niederlage zog hingegen einen Rückgang um 0,4 Prozent nach sich. Je entscheidender das Spiel, desto größer die Auswirkungen auf den Markt. Die Niederlage der Fußballer bei der Weltmeisterschaft im Jahre 1990 gegen Deutschland führte denn auch zu einem Einbrechen der Kurse um ein Prozent. Ein Sieg der eigenen Mannschaft löst Risikobereitschaft und damit Kauffreude aus, was die Aktienkurse nach oben treibt.

Hier liegt der Grund, warum Frauenfußball es schwer haben wird, aus seinem Schattendasein herauszutreten. Obwohl die deutsche Frauennationalmannschaft, die es ja erst seit 1982 gibt, zwei Jahrzehnte nach ihrer Gründung den Weltmeistertitel errang und damit die Herren übertrumpfte. Obwohl die deutschen Sportjournalisten sie mit dem Titel »Mannschaft des Jahres 2003« ehrten. Trotzdem gelangen wie eh und je nur die Bundesliga-Spiele der Männer auf den Bildschirm und in die Schlagzeilen. Die Kombination von Trophäenjagd, Team- und Kampfgeist ist auf typisch männliche Bedürfnisse zugeschnitten.

Was ist männlich?

Wenn wir mal den Fußball beiseite lassen – hat Körperkraft im Alltag überhaupt noch eine Bedeutung? Schwere körperliche Jobs sind am Aussterben. Dafür erschallt immer lauter der Ruf nach intelligenten Fachleuten, die über Kreativität und Spezialwissen verfügen. Und auch die Frauen achten bei Männern in erster Linie auf Humor und Intelligenz. Das sagen sie zumindest in Umfragen.

Laut einer Befragung von 2005 glauben 43 Prozent der Männer, mit einem durchtrainierten Körper die besten Chancen bei Frauen zu haben. Von den Frauen legen jedoch nur ein Prozent beim Mann Wert auf dicke Muskelpakete. Die übrigen haben zwar nichts gegen durchtrainierte Männerkörper einzuwenden, finden aber die Silhouette eines Pierce Brosnan optimal – ein Schwarzenegger-Body wäre zu viel des Guten. Eine Frau sieht in einem Mann, den sie als Partner in Erwägung zieht, den späteren Vater ihrer Kinder. Sie hält daher nach seinen *künftigen* Möglichkeiten Ausschau. Sie fragt sich, was in ihm steckt. Und da sind Muskelpakete ein unwichtiges Merkmal, denn die kann er sich jederzeit antrainieren. Zu viel Muskeln sind sogar gefährlich. Er könnte seine rohe Kraft eines Tages in einem Wutanfall gegen sie richten. Anders die Intelligenz. Wenn seine Wortwahl auf einen Deppen hindeutet, wird ihm wahrscheinlich auch in Zukunft kein helles Licht aufgehen.

Frauen fahren daher eine Doppelstrategie. In ihren fruchtbaren Tagen bevorzugen sie eher harte Typen mit Machogehabe. Denn starke männliche Gene sind für ein Kind günstig. In der übrigen Zeit haben friedliche, treue Männer die Nase vorn. Sie versprechen Bindung und Sicherheit.

Das ist mehr als eine plausible Theorie. Wissenschaftler von Universitäten in Texas, San Diego und Albuquerque im Süden der USA unterzogen einige hundert junge Frauen psychologischen Tests und konnten so das zweigleisige Abchecken der Männer nachweisen. Trotzdem – auch der Dauerlover soll ihr eine Schulter bieten, an der sie sich geborgen fühlen kann. Wenn nicht auf seine Muskeln – worauf schaut eine Frau dann, um sich von seiner Stärke zu überzeugen?

Echte Männer sind große Männer

Der französische Schriftsteller Michel Tournier beobachtete, ein Mann könne kurzsichtig, fettbäuchig, bucklig oder von üblem Mundgeruch geplagt sein – wenn er nur mehr als 1,85 Meter messe, werde das Frauenvolk sich an seinen Fersen heften. Schauen Sie sich Heiratsannoncen von Frauen an. Die Vorbedingung »ab 1,80 Meter« gehört zum Standard. Einer meiner Freunde suchte nach seiner Scheidung eine neue Liebe im Internet. Zuerst gab er seine wahren 1,78 Meter an und ärgerte sich über das geringe Echo. Er hatte studiert, verdiente gut, war unabhängig und besaß ein großes Haus. Doch kaum hatte er sich drei Zentimeter größer gemacht, strömten die Angebote nur so herein. Selbst dieses Ergebnis ließ sich noch steigern. Ein Kumpel von ihm kam auf die dreifache Menge von Zuschriften, obwohl er arm, arbeitslos und Invalide ist. Des Rätsels Lösung: Er misst stolze 1,93 Meter.

Männer überragen die Frauen im Schnitt um sieben Prozent. Eine Frau von 1,60 sollte sich daher mit einem Mann von 1,71 zusammentun, eine Frau von 1,70 mit einem Mann von 1,83 und so fort. In Wirklichkeit suchen jedoch 97,5 Prozent aller Frauen – auch die sehr kleinen – einen Mann, der groß bis sehr groß ist, also mindestens 1,80 Meter misst. Das fand der Franzose Marc-Alain Descamps in einer großen Studie heraus. Der Sprecher einer amerikanischen Samenbank erzählte der US-Autorin Nancy Friday, Männer unter 1,70 Metern brauchten sich erst gar nicht zu bewerben. Die Nachfrage nach dem Genmaterial kleiner Männer sei gleich null, auch wenn sie eine eiserne Gesundheit und einen Super-IQ aufzuweisen hätten.

Die männliche Vorliebe für kleinere Frauen ist weniger stark ausgeprägt. 71 Prozent legen Wert auf eine Partnerin, die zu ihnen aufblickt. Der Brite Daniel Nettle fand kürzlich den Grund für den Unterschied heraus. Für Männer ist die Größe ihrer Freundin nur indirekt entscheidend. Sie schauen unbewusst auf Anzeichen von Fruchtbarkeit. Kleine Frauen kommen eher in die Pubertät und haben im Schnitt mehr Kinder als große.

Warum Frauen lange Kerle bevorzugen

Welche Eigenschaften suchen die Damen bei großen Männern? Intelligenz ist es nicht. Denn die gleichen Frauen aus der Descamps-Studie, die Hünen bevorzugten, hielten kleine Männer für zweifach intelligenter, sympathischer und warmherziger als die großen. Die Riesen unter den Männern wirkten auf sie dominanter, unabhängiger und im Einklang mit sich selbst. Kurz, sie suchten Stärke und Selbstbewusstsein.

Schon in frühen Jahren erfahren wir, wie eng Größe und Stärke zusammenhängen. Immer noch werden mäkelige Kinder mit dem Satz getriezt: »Iss auf, damit du groß und stark wirst!« Einen »großen Mann« nennen wir jeden, der wegen auffälliger Leistungen Eingang in die Geschichtsbücher fand. So kommt es zu dem Paradox, dass die Franzosen den kleinen Napoleon als ihren größten Feldherren verehren. Diese Wertung reicht bis in die Tiefen unserer Sprache hinein. Warum wohl bezeichnen wir einen Menschen, für den Geben seliger als Nehmen ist, als *groß*zügig, seinen geizigen Gegenpart aber als *klein*lich?

Im Vorschulalter sind sich Kinder längst bewusst, dass mangelnde Körpergröße ein Handicap darstellt. 70 Prozent der größeren, aber nur elf Prozent der kleinen wagen es, ihre Kameraden regelmäßig zu Rangeleien herauszufordern. Ebenso die Erwachsenen. Kleine Polizisten werden häufiger attackiert als große. Umgekehrt liegen die Verhältnisse, wenn man die Kinder nach ihren beruflichen Zielen befragt. Von denen, für die späterer beruflicher Erfolg wichtig ist, gehören 55 Prozent zu den Kleinen, aber nur 18 Prozent zu den Großgewachsenen der Gruppe. Die Kleinen kompensieren ihr körperliches Manko durch sozialen Ehrgeiz. Fragt man sie nach ihren Vorbildern, nennen sie Figuren wie Asterix. Er hebelt rohe Kraft mit Witz und Verstand aus.

Der Philosoph Aristoteles forderte bereits vor zweieinhalbtausend Jahren, im Theater solle der Hauptheld die übrigen Darsteller an Größe überragen. Schauen Sie sich die Stars der Fernsehunterhaltung an: Ingolf Lück, Hugo Egon Balder, Bastian Pastewka, Günther Jauch oder Thomas Gottschalk – sie sind 1,90 oder größer. Harald Schmidt ließ sich die Gelegenheit nicht entgehen, seine 1,94 Meter selbstironisch zu kommentieren: »Auch ich habe gelitten, in den Jahren der Pubertät zwischen zwölf und 28, weil ich immer gedacht habe, ich sei zu groß, bis ich angefangen habe, positiv zu denken und festgestellt habe: Nein, alle anderen sind zu klein.«

Die zu kurz Geratenen dürfen bestenfalls als komische Kontrastfiguren mitspielen. Im Comedyquiz »Genial daneben« ist Bernhard Hoëcker zwar der Intelligenteste im Team, muss aber dafür in jeder Sendung Späße wegen seiner wenigen Zentimeter über sich ergehen lassen. Bei der Konkurrenzsendung »7 Tage – 7 Köpfe« füllte Kalle Pohl die Rolle des komischen Zwergs aus. Auch Frauen können Probleme mit ihrer Größe bekommen. So manches spätere Erfolgsmodel erzählte, wie ihre Mitschüler sie hänselten, wobei »lange Bohnenstange« noch die harmloseste Abwertung darstellte. Immerhin, Claudia Schiffer hatte mit 1,80 genau die richtige Länge für ihre

Karriere. Veronica Ferres dagegen wurde einst von der Schauspielschule abgelehnt mit der Begründung, mit 1,80 sei sie zu lang. Dagegen kam auch ihr IQ von 150 nicht an.

Kleine Männer mögen sich mehr anstrengen, aber große gelangen leichter an die Spitze, da sie stärker, dominanter und belastbarer aussehen.

Was Politiker groß macht

Anfang der neunziger Jahre trieb es mich an Heiligabend morgens in das Kaufhaus am Berliner Alexanderplatz. Plötzlich stand Gregor Gysi neben mir, um wie ich noch ein letztes Weihnachtsgeschenk zu besorgen. Was mich mehr überraschte als sein Auftauchen an diesem Ort zu dieser Zeit, war seine geringe Statur. Mir war schon klar, dass er nicht zu den Längsten gehörte, aber da stand ja ein richtiger Zwerg neben mir. Ich bin bestenfalls mittelgroß, doch sein Scheitel reichte nur bis zu meiner Schulter.

Wir neigen dazu, prominente Leute für größer zu halten als sie sind. Nicht nur im übertragenen, sondern auch im wörtlichen Sinne. Ein australischer Professor präsentierte zwei Studentengruppen einen Gast namens »Mister England« aus Cambridge. Den einen stellte er ihn als Professor vor, den anderen als Austauschstudenten. Nachdem sich sein Gast wieder verabschiedet hatte, bat er seine Studenten zu schätzen, wie groß der Fremde war. Diejenigen, die glaubten, einem Professor begegnet zu sein, schätzten ihn zehn Zentimeter größer!

Erfolge lassen kleine Männer in den Augen der anderen über sich hinauswachsen – wieder im wörtlichen Sinne. Über den Öltankermilliardär Aristoteles Onassis hieß es: »Er war klein – bis er auf seine Brieftasche stieg.« Dagegen unterschätzen wir die Größe unwichtiger Personen. Das hat paradoxe Folgen. Wenn der Stern eines Politikers im Sinken begriffen ist, sinkt auch seine wahrgenommene Körpergröße. 2001 ließ der Londoner *Daily Telegraph* schätzen, wie groß Premier Tony Blair ist. Irakkrieg und Wirtschaftsprobleme hatten an seinem Image gekratzt. Folgerichtig war die Zahl der Leser, die ihn für kleiner als seine tatsächlichen 1,83 Meter hielten, gegenüber 1999 um fünf Prozent gestiegen.

Tony Blair war drei Zentimeter größer als sein Gegenkandidat William Hague. Das ist kein Einzelfall. Fast alle amerikanischen Präsidenten erreichten oder überschritten Tony Blairs Größe und die ihrer Gegenkandidaten. Schon der erste US-Präsident, George Washington, war 1,90 Meter groß. In der Fernsehdebatte von 1988 entwertete George Bush senior alles, was sein demokratischer Gegenkandidat Michael Dukakis an Argumenten vorgebracht hatte, indem er sich neben ihn stellte. Ich, der große, stämmige Texasranger, gegen dich kleinen, schmächtigen Intellektuellen – noch Fragen? Bush gewann die Wahl. Wer bei Wahlvoraussagen einfach auf den größeren Kandidaten tippte, hätte bis in die sechziger Jahre jedes Mal einen Treffer erzielt. Erst 1968 schlug Richard Nixon erstmals einen Größeren, den Demokraten George McGovern. Auch Bill Clinton und Bush junior gelang inzwischen das Kunststück, gegen hochgewachsene Kandidaten zu gewinnen.

Sind große Männer tatsächlich stärker?

Es gibt Einzelfälle, in denen ein Kleiner nach intensivem Boxtraining die großen Jungs das Fürchten lehrt. Aber das sind Ausnahmen. Wer groß ist, wird bei gleicher Muskelmasse und Geschicklichkeit die Kleineren besiegen. Das Hebelgesetz macht es möglich. Ein längerer Arm bringt bei gleicher Kraft mehr Energie zur Anwendung. Wer die längeren Beine hat, verbraucht beim Laufen bis zu ein Drittel weniger Körperkraft. Das haben Forscher der katholischen Universität in Louvain

(Belgien) gemessen. Doch weitaus erstaunlicher ist es, dass die Großen auch in seelischer Hinsicht Vorteile erringen.

Hochgewachsene Kinder erleben schon mit vier Jahren, dass die Kameraden sie mit Respekt behandeln, sich seltener mit ihnen anlegen und lieber ihre Freundschaft suchen. Das tut dem Selbstwertgefühl gut. Da sie größer sind als der Altersdurchschnitt, behandeln Erwachsene sie, als ob sie schon reifer und in ihrer Entwicklung weiter vorangeschritten sind. Mit dem Ergebnis, dass die Kinder sich bemühen, diesen positiven Erwartungen zu entsprechen. So erwerben sie einen intellektuellen Vorsprung. Diesen seelischen Trumpf gewinnen übrigens auch Kinder, die nur bis zu ihrem sechzehnten Geburtstag zu den Längsten ihrer Klasse gehören und dann von anderen überholt werden.

Eine Reihe von Vorteilen, die schöne Menschen genießen, kommen auch großgewachsenen Männer zugute. So verdienen sie durchschnittlich zehn Prozent mehr als ihre mittelgroßen Kollegen. Und da sie als Kind schon eine höhere Selbstsicherheit erwarben, rechtfertigen sie auch die Erwartungen, die ihre Vorgesetzten in sie setzen. Bei Männern wächst mit der Körpergröße die Bereitschaft, Risiken einzugehen – dieser Charakterzug gilt als wichtige Qualifikation für einen hoch bezahlten Führungsjob. Den Zusammenhang entdeckten Forscher des Bonner Instituts zur Zukunft der Arbeit (IZA) im September 2005. Ihre Testpersonen sollten sich vorstellen, sie hätten in einer Lotterie 100 000 Euro gewonnen. Einen Teil durften sie nun bei einer Bank anlegen. Mit 50 Prozent Wahrscheinlichkeit würde sich der angelegte Betrag innerhalb von zwei Jahren verdoppeln. Ebenso groß war aber das Risiko, die Hälfte des eingesetzten Geldes zu verlieren. Das erstaunliche Ergebnis: Mit jedem Zentimeter Körpergröße stieg die Summe, die sie riskierten, um 200 Euro.

Eine Frau, die einen gut verdienenden Mann sucht, hat also allen Grund, auf seine Größe zu achten. Die meisten Männer sind sich über die Attraktivität ihrer Körperhöhe nicht im Klaren. Nur jeder sechste sieht in fehlenden Zentimetern einen Nachteil. Das amerikanische *Glamour*-Magazin fragte im Januar 1995 Männer, wofür sie sich entscheiden würden, wenn sie die Wahl hätten:

a. für 1,55 Meter Körperhöhe und einen 18 Zentimeter-Penis oder

b. für 1,85 Meter Körperhöhe und einen 7,5 Zentimeter-Penis.

Nur 36 Prozent wählten Antwort b. 62 Prozent wären lieber ein Zwerg mit Riesenrute. (Zwei Prozent konnten sich nicht entscheiden.) Warum haben sie nicht die Frauen gefragt! Die hätten ihnen verraten können, dass ein Mann, der sein Geld in Schuhe mit dicker Einlegesohle investiert, seine Chancen bei ihnen eher verbessert als einer, der sich für eine teure und riskante Penisverlängerung unter das Messer legt.

Was Männer an Männern schön finden

Vielleicht ist Männern die eigene Schönheit schlicht und einfach egal? Das war einmal. 1972 waren nur 15 Prozent mit ihrem Aussehen unzufrieden. Als die Umfrage 1997 wiederholt wurde, waren es schon 43 Prozent. 2005 sagten 65 Prozent der Männer, gutes Aussehen sei ihnen »voll und ganz wichtig«. Seit damals ist der Verkauf von Herrenkosmetik um ein Mehrfaches gestiegen. Spezielle Modekollektionen für den Herrn finden mehr und mehr Käufer. Gut zu riechen und sich chic zu kleiden gilt längst nicht mehr als tuntig.

Aber das ist nur ein Nebenschauplatz. Männer wollen nicht mit Frauen auf deren ureigenstem Gebiet, der Schönheitspflege, konkurrieren. Seit Frauen ihnen im Job und auf dem gesellschaftlichen Parkett als ebenbürtige Partnerinnen begegnen, fragen sie sich: Wo kann ein Mann noch ein Mann sein?

Gibt es ein Rückzugsgebiet, aus dem Frauen uns nie vertreiben werden?

Sie haben es gefunden – an den Kraftmaschinen der Fitnessstudios. 3,5 Stunden Sport treibt der Durchschnittsmann heutzutage. Die Angst zu wenig Muskeln zu haben – Muskeldysmorphophobie – hat sich zu einer unter Männern verbreiteten Seuche entwickelt. Was den Frauen ihre Magersucht, ist den Jungs ihre eingebildete Schwächlichkeit. Mädchen im Diätwahn orientieren sich an superdünnen Models. Jungen im Fitnesswahn messen sich an Sylvester Stallone und Arnold Schwarzenegger. Die männlichen Helden der fünfziger Jahre, John Wayne, Kirk Douglas oder Clark Gable, waren Milchbubis im Vergleich mit den Muskelpaketen Rambo und Conan der Barbar.

Die Bodybuilder ahnen, dass Frauen eher Leonardo DiCaprio und Brad Pitt bewundern als einen Jean Claude van Damme. Forscher der schottischen St.-Andrews-Universität fanden in einer vierjährigen Studie sogar Folgendes heraus: Männer gewinnen ihren stärksten Sexappeal, wenn sie am Computer 15 Prozent femininer gemacht werden, als es dem männlichen Standard entspricht. Aus feinen Gesichtszügen und einer knabenhaften Figur schließen die Frauen auf Wärme, Zuneigung und Sanftmut. Egal. Wenn ihre Bizepse den Mädels gleichgültig sind, hoffen die kräftigen Kerle zumindest männliche Rivalen aus dem Feld zu schlagen. Eine typische Rechtfertigung: »Wenn die Kollegen meine Oberarme anfassen und sagen ›Mann, hast du tolle Muckis‹, dann weiß ich, der vergossene Schweiß hat sich gelohnt.« Die Jungs sollen begreifen – durch »Begreifen« seiner Muskeln –, dass sein Mädchen für sie tabu ist.

Wenn ein Appell an seine Eitelkeit nötig ist, um ihn aus seinem Fernsehsessel zu treiben und in Bewegung zu versetzen – was ist daran auszusetzen? Sport ist schließlich gesund, oder?

Steigern Testosteronspritzen die Männlichkeit?

Die Mediziner Harrison G. Pope jr., Katharine A. Phillips und Roberto Olivardia stellten in ihrem Buch »Der Adonis-Komplex« eine Formel vor, mit der Bodybuilder bestimmen können, ob sie im sportlich-gesunden Bereich trainieren. Dafür müssen sie mit einer Waage, die das Körperfett misst, den fettfreien Anteil des Körpergewichts bestimmen. Wenn Sie 70 Kilogramm wiegen und einen Körperfettanteil von 15 Prozent messen – was 10,5 von 70 Kilo sind –, haben Sie 70 – 10,5 = 59,5 Kilo fettfreies Körpergewicht (FFKG). Jetzt brauchen Sie noch Ihre Körperhöhe H und berechnen damit Ihren fettfreien Masse-Index FFMI nach der Formel:

$$FFMI = FFKG : H^2 + 6,1 \times (1,8 - H)$$

Bei einer Körperhöhe von 1,75 Metern und 59,5 Kilo fettfreiem Körpergewichtsanteil ergäbe sich

$$59,5 : 3,0625 + 6,1 \times (1,8 - 1,75) = 19,4286 + 0,305 = \mathbf{19,7336}$$

Ein fettfreier Masse-Index zwischen 19 und 20 ist optimal. Bei Werten unter 19 täte dem Mann ein wenig Training gut. Mit monatelangem, intensivem Schwitzen an den Geräten kann der Bodybuilder seinen Körperfettanteil auf unter fünf Prozent drücken. Gleichzeitig steigt sein Gewicht infolge der Zunahme an Muskelmasse. Bei fünf Kilo Gewichtszuwachs auf 75 Kilo und fünf Prozent Körperfett käme er nun auf einen FFMI von 23,652.

Werte über 23 erreicht niemand ohne hartes Training. Was aber, wenn Männer einen FFMI von 26 und mehr aufweisen? Dann gibt es nur eine Erklärung: Anabolika. In der guten alten Zeit vor dem Einsatz der chemischen Keule erreichte Steve Reeves, Mister Amerika von 1947, den Spitzenwert von 25,7. Mehr ist nicht drin. Jedenfalls nicht ohne Hilfsmittel aus der Pharmaküche.

Ende des 19. Jahrhunderts hatte der französische Arzt Charles-Éduard Brown-Séquard die Idee, sich einen Extrakt aus Meerschweinchen- und Hundehoden zu spritzen, um sich mit Kraft und Vitalität zu versorgen. Später fand man heraus, dass in seinem Cocktail gar keine aktiven Hormone drin waren. In den dreißiger Jahren entdeckten deutsche Wissenschaftler das Männlichkeitshormon Testosteron und entwickelten im Labor eine Reihe chemischer Verwandter, die sich künstlich herstellen ließen, genannt anabol-androgene Steroide. Damals dachte noch keiner an Muskelaufbau durch Chemie. Die Ärzte wollten mit diesen Substanzen vielmehr bei älteren Männern Depressionen lindern. Als die Industrie wirksamere Mittel gegen das seelische Dauertief erfand, kamen die Steroide außer Gebrauch. Bis die Russen Anfang der fünfziger Jahre anfingen, damit ihre Gewichtheber zu Weltmeistern zu dopen. Auf dem Schwarzmarkt kursieren mittlerweile eine Vielzahl anaboler Steroide.

Mediziner aus Lübeck befragten bundesweit Männer und Frauen aus 58 kommerziellen Fitnessstudios. 22 Prozent der Männer (Frauen: acht Prozent) gaben zu, regelmäßig Anabolika zu nehmen. Auf alle Studios hochgerechnet, wären das in Deutschland 700 000 Testosteronjunkies. In der Pubertät erleben die Jungen einen Hormonschub, der ihre Muskeln auf männliche Maße wachsen lässt. Der Gedanke lag daher nahe, ein bisschen mehr als normal zuzuführen, um überdurchschnittliche Bizeps und Trizeps zu erlangen. Die Hobbysportler fangen im Schnitt nach etwa zwei bis drei Jahren Training damit an, wenn der natürliche Muskelzuwachs seine Grenzen erreicht hat.

Testosteron macht aber nicht nur stärker, sondern ist auch schuld am früheren Vergreisen der Männer, besonders ihres Kreislaufs. Die Arterien altern dreimal schneller. Es erhöht zudem ihre Aggressivität und lässt sie impulsiv und unangemessen jähzornig auf kleinste Widerstände reagieren. Wird die Hormonzufuhr eingestellt, schwinden die Muskeln wieder, die Nebenwirkungen jedoch bleiben. Es verhält sich mit dem Testosteron wie mit Nikotin und jeder anderen Droge. Die Junkies brauchen täglich ihren Stoff, und die negativen Konsequenzen zeigen sich erst nach Jahren. Die Szene erlebte spektakuläre Todesfälle, wie den Kollaps des mehrfachen Weltmeisters Andreas Münzer, 115 Kilo schwer, der 1995 nach einer Notoperation mit 31 Jahren in einer Münchener Klinik starb. Der Pathologe fand einen hohen Pegel an Anabolika und eine völlig zerfressene Leber.

Doch selbst wenn es nicht zum Schlimmsten kommt, kann der Schuss nach hinten losgehen. Die Jungen, die echte Männer werden wollten, verweiblichen. Ihr Körper ist nämlich auf ein bestimmtes Gleichgewicht von männlichen und weiblichen Hormonen eingestellt. Neben Testosteron hat jeder Mann eine geringe Menge Östrogen im Blut. Wird die Testosteronmenge übermäßig erhöht, gleicht der Körper sie aus, indem er auch zusätzliches Östrogen bildet – und zwar ausgerechnet aus dem gespritzten Stoff. Denn beide Hormone sind chemisch eng verwandt. Der Körper kann sie leicht ineinander umwandeln. Die Folge: Penis und Hoden schrumpfen. Unwiderruflich. Das Östrogen lässt dem Manne außerdem weibliche Brüste wachsen. Diese als Gynäkomastie bekannte Störung – und seine häufige Folge, der männliche Brustkrebs – kommt fast nur in der Bodybuilderszene vor. Den Schaden kann nur ein Chirurg beseitigen.

Doch wofür das Risiko? Gewichte stemmende Männer unterliegen einem ähnlichen Irrtum wie Frauen im Schlankheitswahn. Zeigt man den Kraftjunkies Silhouetten unterschiedlich muskulöser Männerkörper, wählen sie eine Fotografie, die fünf bis zehn Kilo mehr Muskeln drauf hat, als es den Frauen tatsächlich gefällt.

Der Hang zum Extremkörper verrät eine gestörte Selbstwahrnehmung. Dafür gibt es ein typisches Indiz. Erkundigen Sie sich in einem Studio bei einem Sportler mit schwellendem Bizeps, ob er mit seinem Aussehen zufrieden ist. Die Wahrscheinlichkeit ist hoch, dass er antwortet: »Ich fühle mich noch zu schmächtig. Hier am Bauch und da an den Schultern könnten noch ein paar mehr Muskeln wachsen.«

Warum Kleider Leute machen und Frisuren über den ersten Eindruck entscheiden

Kleider sind Waffen, womit die Schönen
streiten und die sie, gleich den Soldaten,
dann nur von sich werfen, wenn sie über-
wunden sind.

Jean Paul

Der römische Kirchenvater Tertullian, einer der frühesten Schriftsteller des jungen Christentums, beschwor die Damen zu Beginn des zweiten Jahrhunderts, sich nicht mit Schmuck und kostbaren Stoffen zu behängen. Interessant ist seine Begründung, die er in der Schrift »Vom Kult der Frauen« formulierte. Nicht ihre Prunkliebe war ihm ein Dorn im Auge. Er verurteilte vielmehr ihren Versuch, die Natur zu korrigieren und mehr Schönheit vorzutäuschen als Gott ihnen gewährt hatte.

Wollten die Frauen ihm gehorchen, müssten sie nackt gehen. Schon die unscheinbarste Kleidung verfälscht die natürliche Ausstrahlung. Heute gehen die Evolutionsbiologen sogar noch einen Schritt weiter. Bereits die nackte Haut, behaupten sie, war die erste menschliche Korrektur des genetischen Erbes.

Warum tragen wir kein Fell?

Nacktheit beruht auf einer optischen Täuschung. Unser Fell ist keineswegs verschwunden. Unseren Leib zieren genauso viele Haare wie die Affen. Nur Fußsohlen, Lippen und Handflächen sind haarfrei. Allerdings haben sich die dicken, dunklen Strähnen unserer Vorfahren in winzige, dünne Härchen verwandelt, die der darunter liegenden Haut keinen Schutz mehr gewähren.

Die übliche Vermutung lautet, der Mensch habe sein dichtes Haarkleid eingebüßt, weil er aus den heißen Tropen stammt. Doch schon Darwin äußerte Zweifel. Zum einen leben auch die Affen, die ein dickes Fell tragen, in Afrika, Asien und Zentralamerika. Zum zweiten bieten die Tropen nur selten ideales Sonnenwetter. Der Himmel kann dort äußerst ungemütlich werden. In den Regenzeiten und in kalten Nächten benötigen auch die Eingeborenen wärmende Hüllen. In der brütenden Mittagshitze suchen sie Schatten auf oder helfen sich mit Kleidung und Kopfbedeckungen. Und drittens hat unsere Haut das fehlende Fell durch andere Schutzmechanismen ausgeglichen. Sie kann mehr Fett einlagern und empfindliche Körperpartien durch dicke Hornhaut schützen. Warum ist sie dann nicht gleich beim Fell geblieben?

Eine andere Erklärung der Nacktheit lautet, als dauerlaufender Jäger benötigten unsere Vorfahren zusätzliche Kühlung. Daher Abbau des Fells und Entwicklung von Schweißdrüsen. Der Mensch hatte als Lauftier, das seine Beute bis zur Erschöpfung verfolgte, seinen Siegeszug über den Globus angetreten. Doch die Tierwelt kennt viele Arten, die unter hohem Tempo lange Strecken zurücklegen, zum Beispiel Wölfe, Antilopen oder Pferde. Keine hat ihr Haarkleid eingebüßt. Es muss daher noch eine andere Ursache geben.

Darwin fiel auf, dass überall auf der Welt weibliche Körper weniger behaart sind als männliche. Was dem Papageien sein buntes Federkleid, ist dem Menschen seine bloße Haut – ein erotisches Signal. Auch bei Affen sind die sexuell wichtigen Körperteile frei von Haaren, insbesondere das weibliche Gesäß. Als der Mann in der Urzeit angefangen hatte, Frauen zu bevorzugen, die mehr nackte Haut zeigten als üblich, brachte er eine galoppierende Selektion in Gang. Das bedeutet: Unter den weniger Behaarten bekamen in der nächsten Generation wieder die nacktesten Mädchen die meisten Chancen, von ihnen kamen wieder die weniger Behaarten weiter und so fort. Bis eines Tages ihre Nachkommen so aussahen wie die Mädchen von heute. Die Frauen legten bei der Erotik ihrer Partner nicht ganz so strenge Maßstäbe an. Auch etwas stärker behaarte Männer kamen weiter. Diesen Geschlechtsunterschied finden Sie noch heute. Studentinnen entblößen 16 Prozent ihrer Haut, wenn sie eine Vorlesung, aber 31 Prozent, wenn sie eine Disco besuchen, maß der Wiener Verhaltensbiologe Karl Grammer. Bei männlichen Studenten findet sich kein solcher Unterschied.

Die Gene für ein starkes Fell sind übrigens nicht verschwunden. Sie sind nur abgeschaltet, werden aber weiter vererbt. Immer wieder berichtet die medizinische Literatur von Einzelfällen, in denen Kinder mit dichtem Ganzkörperfell geboren werden. So etwas nennen Fachleute einen Atavismus – das unerwünschte Auftauchen eines urtümlichen Merkmals. Diese seltenen Abweichungen treten ein, wenn während der Entwicklung des Embryos eine stillgelegte genetische Information irrtümlicherweise abgelesen wurde.

Wie nackte Haut als erotisches Signal wirkt

Die nackte Haut war unser erster sinnlicher Schmuck. Dafür haben wir weitere Beweise. Während am Körper das Haarkleid verschwand, nahm es auf dem Kopf zu. Kein anderes Tier besitzt Kopfhaare, in die kein genetischer Wachstumsstopp eingebaut ist. Lediglich Abnutzung, Krankheit, Alter oder Nährstoffmangel setzen ihrer unbegrenzten Verlängerung Grenzen. Unsere Haare sind ein Kontrastsignal. Wir haben weniger am Körper, dafür mehr auf dem Kopf. Solche Signale, die Gegensätze betonen, sind typisch für die Körpersprache. Sie sollen es dem Betrachter erleichtern, ihre Bedeutung schnell und korrekt zu entschlüsseln.

Das Scham- und Achselhaar blieb erhalten. Es hat zwei Aufgaben. Zum einen zeigt es die Geschlechtsreife und das Ende der Kindheit an. Zum andern befindet es sich in versteckten Körperregionen, in denen sich Sexualduftstoffe sammeln. Die Haare halten den Duft fest, indem sie den Geruchsmolekülen eine zusätzliche haftende Oberfläche bieten. Erst mit der Erfindung der Parfüms kam die Sitte auf, diese Körperbereiche zu rasieren und mit künstlichen Aromen zu umgeben.

Wer noch Zweifel hat, betrachte den männlichen Bartwuchs. Nur Männer mit kräftigem Haarwuchs am Kinn pflanzten sich fort. Für Frauen einst ein erwünschtes Signal von männlicher Reife und Erfahrung. Erst nach der Pubertät wächst der Bart dicht und dunkel. Während sich das Kopfhaar der Männer im Alter lichtet, sprießt der Bart stärker. Noch im 19. Jahrhundert kennzeichneten prächtige Vollbärte den arrivierten Herrn. Unter den Bedingungen des heutigen Jugendkults sind glatt rasierte Jünglinge gefragt. Doch umgekehrt genügt noch immer ein dunkler Flaum auf der Oberlippe einer Frau, um ihre weibliche Ausstrahlung nachhaltig zu beschädigen.

Ist nackte Haut schön? Wer das Publikum eines FKK-Strandes besichtigt, möchte ernsthafte Zweifel hegen. Doch als der Mensch auf sein Fell verzichtete, gab es weder Wohlstandsbäuche noch verkümmerte Muskeln und Haltungsschäden infolge des Bewegungsmangels. Schauen Sie sich einen Bildband von Naturvölkern an, und Sie ahnen, wie genussvoll unsere Vorfahren einander einst betrachtet haben mögen.

Was Kleidung leistet

So wie die Haut von Anfang an nicht nur für die Wärmeregulation da war, hüllten sich unsere Vorfahren nicht bloß deshalb in Tierhäute, um Kälte und Nässe abzuwehren. Kleidung diente auch dazu, erotische Reize zu verhüllen oder durch geschickte Andeutung noch mehr zu betonen. Das belegen Grabbeigaben, aber auch Beobachtungen an heutigen Stammesgesellschaften. Die ersten Seefahrer berichteten, wie eifrig sich die Eingeborenen beider Geschlechter schmückten, und wie leicht es war, ihnen im Tausch für bunte Glasperlen und Tücher Land, Sklaven und Bodenschätze wegzunehmen.

Außer Schmuck und Kälteschutz erfüllt Kleidung folgende Funktionen:

Sie zeigt die Zugehörigkeit zu gesellschaftlichen Gruppen an. In früheren Jahrhunderten stellte »standesgemäße Kleidung« mehr dar als nur ein moralisches Gebot. In der Aztekenhauptstadt Tenochtitlán wurde mit dem Tode bestraft, wer es wagte, die Kleidung einer höheren Kaste zu tragen. Bei den alten Germanen galt: Biberpelze für das Volk, Zobel für die Vornehmen. Karl der Große erließ Gesetze über erlaubte und verbotene Kleidung. Nur Fürsten durften Hermelinpelz und Purpurrot tragen. Bauern hatten sich mit grauen oder blauen Leinenkitteln zu begnügen. Trachten kennzeichnen bis heute die Heimat, Uniformen den Beruf ihrer Träger.

Teure Klamotten verraten Einkommen und Status. Imageberater empfehlen: »Kleide dich so, als gehöre dir die angestrebte Position bereits.« Von dem englischen Soziologen C. Northcote Parkinson stammt der Spruch: »Jemand wird nicht Generaldirektor aufgrund seiner Qualifikationen, er wird Generaldirektor, weil er so aussieht.« Männer auf unteren Stufen der Karriereleiter sparen oft am falschen Ende. Sie leisten sich einen guten Anzug, knausern aber bei den Schuhen. Die Umkehrung ist klüger. Edle Schuhe verleihen selbst einem gewöhnlichen Anzug von der Stange Eleganz.

Kleidung zeigt den Grad an Nonkonformismus an. Bevorzugen Sie einen eher unauffälligen Stil oder ziehen Sie mit einem schrillen Look sofort alle Blicke auf sich? Schon im 18. Jahrhundert, im Zeitalter des Sturm und Drang, drückten die jungen deutschen Dichter ihren Protest gegen die miefigen

Verhältnisse durch ihr Äußeres aus. Der junge Herder schockierte die Honoratioren der Kleinstadt Bückeburg, indem er seine Stelle als Hofprediger in himmelblauem, mit Gold besetztem Anzug, weißer Weste und auffälligem Hut antrat. Oscar Wilde begründete Ende des 19. Jahrhunderts seinen Ruf als Dandy in Seidenstrümpfen und Kniehose. Eine Blume steckte im Knopfloch seiner Samtjacke, dazu trug er grellbunte Krawatten und eine Zigarettenspitze mit Goldmundstück. Als stilvoll gilt freilich der Mittelweg, »unauffällige Eleganz« genannt: Aus der Masse herausragen, ohne sich dem Vorwurf des Exhibitionismus auszusetzen. Eine Frau, die sich in einem sexy Outfit um einen Arbeitsplatz bewirbt, bekommt zwar ein längeres Bewerbungsgespräch, aber nicht unbedingt den Job. Den erhält die Konkurrentin in schlichter, eleganter Kleidung und dezentem Make-up.

Von der Kleidung schließen wir auf den Charakter ihres Trägers. Insbesondere auf moralische Werte. Das belegt eine Vielzahl von Experimenten. Ein Schauspieler sprach auf dem New Yorker Hauptbahnhof Passanten an: »Ich habe meine Brieftasche verloren. Können Sie mir ein paar Dollar geben, damit ich nach Hause fahren kann?« Im guten Anzug eines Geschäftsmannes brachte er 513 Dollar zusammen. Manche besorgte Mitbürger boten ihm mehr an als er verlangte, damit er sich bei einem Drink von seinem Schock erholen könne. In legerer, aber immer noch guter Kleidung kam er auf 150 Dollar. In schäbiger Kleidung, die Armut und Erfolglosigkeit ausstrahlte, handelte er sich jede Menge ärgerliche Absagen ein. Am Abend hatte er diesmal ganze zehn Dollar eingesammelt. Je nötiger er das Geld gehabt hätte, desto weniger erhielt er. Nicht die Bedürftigkeit bestimmte die Spendenfreudigkeit der Passanten, sondern die Vertrauenswürdigkeit des Bittstellers. Wer besser gekleidet ist, hat die besseren Karten. Sie können sich davon selbst überzeugen. Beobachten Sie mal das Verhalten der Fußgänger an der Ampel. Wenn einer bei Rot die Fahrbahn überquert, folgen ihm die anderen um so schneller und in größerer Zahl, je besser der Übeltäter gekleidet ist.

Kleidung verändert das Selbstbewusstsein ihres Trägers. Sich modisch und chic zu kleiden kann helfen, ein Stimmungstief zu überwinden. In der Psychiatrie gilt das Vernachlässigen der äußeren Erscheinung als Alarmzeichen für eine beginnende Depression. Der amerikanische Psychologe Michael Salomon testete den Effekt der Kleidung bei Studenten, die er zu Bewerbungsgesprächen antreten ließ. Die einen kamen gut gekleidet von zu Hause, die andern schickte er direkt von der Vorlesung in Jeans und T-Shirt zum künftigen Chef. Die Studenten, die sich angemessen gekleidet hatten, traten sicherer auf und verlangten im Schnitt 2500 Dollar mehr Gehalt.

Warum Frauen trotz voller Schränke nichts anzuziehen haben

Je höherwertig die Kleidung, desto mehr Wert und Respekt billigen wir der Person zu, die in ihr steckt. Egal, ob es sich um ein Gegenüber oder unser eigenes Spiegelbild handelt. Da vor allem Frauen viel Geld für Mode ausgeben, während Männer jahrelang in derselben Hose herumlaufen, könnte man vermuten, dass es die Männer sind, die sich durch Stoffe und Farben beeindrucken lassen, während es den Frauen egal ist, was ihre Kerle anziehen. Warum sonst würden sich die Frauen so viel Mühe geben und die Männer so wenig?

In Wahrheit sind es natürlich die Männer, die für Kleidertrends kein großes Interesse aufbringen. Wenn seine Herzallerliebste vom Haushaltsgeld einen teuren Kaschmirpullover kauft, kann sie gefahrlos behaupten, sie habe ihn schon drei Jahre in ihrem Besitz und damals in seinem Beisein im Ausverkauf billig erworben. Er wird gutmütig annehmen, er habe das Teil seither einfach vergessen. Sie dagegen erinnert sich sofort, wenn eine Kollegin ein Kleid zum zweiten Mal anzieht.

Männer reagieren lediglich, wenn die Kleidung ihre Trägerin weiblicher macht. Eine amerikanische Studie zeigte, dass die Herren in solchem Fall nicht nur hingucken, sondern auch zu traditionellem, ritterlichem Verhalten neigen, indem sie ihr zum Beispiel die Tür aufhalten. Die wenigsten erkennen aber die Details, mit denen sie diese Wirkung erreichte. Da muss sie schon sehr dick auftragen. Deswegen wirken Glitzertops und Superminis, die Männerblicke magisch anziehen, auf Frauenaugen vulgär. Sie mögen lieber das Spiel der Nuancen. Ihre Antennen registrieren jede Einzelheit und schlagen sofort Alarm, wenn der Modewind sich dreht. Was den Männern der Wettkampf um die dicksten Muskeln, ist für sie das Streben nach der schönsten Garderobe. Nicht wegen der Männer – sie wollen gegenüber den Rivalinnen des eigenen Geschlechts nicht ins Hintertreffen geraten. Daher der permanente Wettstreit der Eleganz.

Die unterschiedliche Einstellung der Geschlechter zum modischen Detail erklärt auch den weiblichen Verzweiflungsschrei: »Ich hab nichts anzuziehen!« Natürlich sieht auch sie, wie ihre Schränke überquellen. Aber da sie bestrebt ist, sich in der Auswahl ihrer Garderobe nie zu wiederholen, versucht sie ihre Teile auf neue Weise zu kombinieren. Sie würde die weiße Bluse schon anziehen – aber nicht wieder mit dem gleichen schwarzen Rock wie letzten Monat. Mit dem grünen oder gelben? Das sähe einfach verboten aus. Für die brauchte sie eine rote Bluse, aber ausgerechnet die fehlt in ihrer Sammlung. Wenn sie stattdessen eines ihrer vier Dutzend Kleider nähme? Die sind zu hell, zu dunkel, zu bunt, zu eintönig, zur Zeit nicht im Trend, zu unvorteilhaft – zumindest bis zur nächsten Diät –, zu sexy, zu bieder, zu chic, zu schlicht, also einfach nicht perfekt. Und mit einem Kleid, an dem nur ein Detail nicht stimmt, geht sie nicht aus dem Haus. Wenn ihr Gatte das nicht sieht, nun ja. Aber vor den Frauen seiner Kollegen würde sie sich in Grund und Boden schämen.

Kaum ein Mann ahnt, wie stark ein besseres Outfit seine Chancen bei den Frauen erhöhen würde. Die Anthropologen John Marshall Townsend und Gary Levy fotografierten dieselben jungen Männer einmal in Burger-King-Uniform mit blauem Basecap und Polohemd, ein andermal in weißem Hemd mit Designerkrawatte, marineblauem Blazer und Rolex-Uhr. Dann mischten sie die Fotos mit Bildern anderer Männer und ließen Frauen entscheiden, welcher von den Jungs für Sex beziehungsweise Heirat infrage käme. Das Ergebnis war eindeutig. Obwohl es sich um denselben Boy handelte, gelangte er nur im eleganten Outfit in ihre engere Wahl.

Das Aschenputtel-Syndrom

Am liebsten schauen die Mädels auf seine Schuhe. Sie wissen genau: Nur ein Mann, der wirklich Geld hat und etwas darstellt, investiert in teure Schuhe. Einer, an dem mehr Schein als Sein ist, wird sich unter Umständen einen teuren Schlitten und einen eleganten Anzug leihen, sobald er auf die Piste geht. Seine Schuhe aber verraten ihn.

Generationen von Männern fragten sich, woher Frauen dieses Faible für Schuhe haben. Aschenputtel gehört zu den beliebtesten Märchen weltweit, weil es die tiefste Sehnsucht vieler Frauen erzählt: Ihr Traumprinz möge sie nur anhand ihres (selbstverständlich zierlichen) Schuhes unter Tausenden herausfinden. Da Fußbekleidung erst vor 30 000 Jahren üblich wurde, kann ihre Vorliebe kaum in den Genen liegen. Damals besaßen die Menschen schon die gleichen Erbanlagen wie heute. Mehrere Gründe treffen zusammen:

Schuhe sind ein Wohlstandssymbol. Noch meine Großmutter

erzählte mir, dass sie und ihre Geschwister als Kinder meist barfuß gingen, um das einzige Paar Schuhe zu schonen. Wer ständig Schuhe trug oder gar mehrere Paar besaß, gehörte zu einer wohlhabenden Familie. Ein Kleid besaß dagegen auch das ärmste Mädchen. Schuhe hatten eher eine Nähe zu Perlen und Brillanten, die sich auch nur Töchter aus reichem Hause leisten konnten, als zu Röcken und Blusen. Daher das Bestreben, möglichst viele von diesen Schmuckstücken anzusammeln und aufzubewahren.

Neben dem Gesicht sind die Füße die am meisten bewegte Körperregion des Menschen. Zumindest war es bis vor wenigen Jahrzehnten so, als wir in erster Linie auf Schusters Rappen unterwegs waren und kein Fernseh- oder Computerbildschirm unseren Bewegungsdrang hemmte. Nach der Mimik war daher der Gang der verräterischste Teil der Körpersprache. Ein Mann konnte seine Korpulenz unter wallenden Stoffen und einem weiten Mantel verbergen – seine Schritte entlarvten zuverlässig, wie es um seine Kraft, sein Temperament und seine Vitalität bestellt war. Und Frauen? Erinnern Sie sich an die Mode früherer Jahrhunderte. Unter den weiten, knöchellangen Kleidern konnten sie Problemfiguren perfekt verbergen. Nur eines blieb sichtbar – die Füße. Auf sie richtete sich daher der Blick. Ein amerikanischer Forscher hat nachgemessen, dass Frauen beim Gang einen seitlichen Abstand von etwa zwölf Zentimetern einhalten. Bei kleinerem Abstand nimmt der Hüftschwung zu, ihr Gang wirkt erotisch. Bei größerem Abstand geschieht das Gegenteil, der Schritt sieht staksig und plump aus.

Schuhe verursachen keine Figurprobleme. Auch die vor Jahren gekauften Modelle kann frau sofort wieder anziehen. Wenn sie beim Shoppen verzweifelt feststellen muss, dass sie in die Kleidergröße 38 nicht mehr hineinpasst, kann sie sich mit einem neuen Paar Pumps trösten. Am Fuß passt ihr die 38 wie angegossen. Auch wenn sie weiter oben zehn Kilo zugelegt hat.

Um sich davon zu überzeugen, braucht sie nicht einmal eine dieser grell ausgeleuchteten Umkleidekabinen zu betreten, die jeden Kleiderkauf in einen Horrortrip verwandeln.

Schuhe formen den Gang ihrer Trägerin. Sie schaut sich die Schuhe anderer deshalb so genau an, weil sie um die Wirkung guter Schuhe an ihren eigenen Füßen weiß. Mit ein paar Zentimetern Absatz wächst ihre ganze Statur. Sie fühlt sich größer und somit selbstsicherer. Die Zahl der Männer, die auf sie herabblicken können, sinkt. High Heels bringen ihre Hüften um sieben Prozent stärker zum Schwingen, verwandeln Aschenputtel in eine majestätisch einherschwebende Prinzessin. Deswegen hat sie für Ärzte, die dringend vor den Spätfolgen von hohen Absätzen warnen, nur ein Schulterzucken übrig. Was wissen diese Knochenklempner schon vom Seelenleben einer Königin? Außerdem trägt sie zur Abwechslung auch mal Stiefel. In ihnen gewinnt ihr Gang Kraft und Sicherheit. Ob als gertenschwingende Reiterin oder als Vamp in Netzstrümpfen und Chiffon – in ihren Boots verliert sie nie die Bodenhaftung. Noch ein Grund mehr, warum Schuhe eine weibliche Leidenschaft sind: Frauen ziehen ihre Kraft vor allem aus Hüften und Beinen, die Männer eher aus Schultern und Oberarmen. Sie probieren lieber eine neue Lederjacke oder ein neues Sakko an, solange ihre weibliche Hälfte die Schuhverkäuferinnen auf Trab hält.

Was ist Mode, was ist Stil?

Aus unserem Wissen über Schuhe und Kleider ergibt sich sofort ein neues Rätsel. Müsste nicht für jeden von uns sein optimales Outfit existieren, das er – hat er es einmal entdeckt – nie wieder zu ändern brauchte? Wieso kaufen wir dann in jeder Saison neue Klamotten? Wenn ein Designer auf der New Yorker Fashion Week 20 Minuten lang seine neuesten Kreationen über den Laufsteg schicken will, verlangt der Veranstalter 36 000 Dollar Startgebühren. Dazu kommen die Kosten für die Models, die Näherinnen, die Stoffe ... Diese Summen muss der Designer wieder einspielen. Seine Opfer: Betuchte, kauffreudige Trendsetter. Ist die Mode ein einziger großer Schwindel, um den Konsumenten jedes halbe Jahr von Neuem das Geld aus der Tasche zu ziehen? Oder steckt mehr dahinter?

Erinnern wir uns: Die Basis der Schönheit bilden Symmetrie und Durchschnitt. Kleidung dient dazu, uns dem Ideal des Mittelmaßes anzunähern, indem sie Abweichungen kaschiert und korrigiert. Wer von Geburt weniger schön geraten ist, wird deshalb von einem geschickten Einsatz von Kleidung und Styling stärker profitieren als eine Naturschönheit, die schon so perfekt aussieht. Modeexperten haben jede Menge Regeln entwickelt, wie Sie Stärken betonen und Schwächen ausgleichen können. Fünf Beispiele:

- Helle Farben und Muster heben vorteilhafte Körperregionen hervor. Dunkle Farben und Einfarbigkeit strecken die Figur und lassen unproportionierte Körperteile hinter der Gesamtsilhouette zurücktreten.

- Wenn Sie sich viel bewegen (Tanz), ist Weiß vorzuziehen. Bei formalen Anlässen, wo die Teilnehmer still stehen oder sitzen (Empfänge), wirkt Schwarz eleganter.

- Ein zu kleiner Busen wird durch aufgenähte Taschen oder große Muster optisch vergrößert. Hochgeschlossene und ärmellose Shirts lenken den Blick ab auf andere Körperregionen. Bei zu großem Busen gleicht ein Dekolleté, kombiniert mit einem taillierten Schnitt, die Proportionen aus.

- Miniröcke und hohe Absätze stehen kleinen Frauen besonders gut, weil sie die Beine verlängern. Auch gerade geschnittene Stretchhosen mit hohem Bund schummeln lange, schlanke Beine herbei. Kurze Jacken und Tops lassen die Beine im Vergleich zum Oberkörper länger wirken. Eine sehr große Frau wird dagegen eher von langen Kleidern ur flachen Absätzen profitieren.

- Weite Kleidung verbirgt Übergewicht. Eine locker sitzende 40 wirkt eleganter als eine kneifende 38. Oberteile mit Rundausschnitt gleichen breite Hüften bei schmalen Schultern aus. Längsstreifen ziehen die Figur optisch in die Länge. Querstreifen stauchen sie zusammen – sie sind für Dünne, Hochgewachsene geeignet. Deswegen gehören sie zum Matrosenlook. Die Seemänner erweckten damit den Eindruck, über einen muskulösen, breiten Oberkörper zu verfügen.

Doch Mittelmaß allein ist langweilig. Eine lebendige, reizvolle Schönheit benötigt mindestens eine auffällige Besonderheit, die sie aus der Masse heraushebt. So entstehen Moden. Als alle Frauen Miniröcke trugen, stellte ein langes, schulterfreies Kleid einen aufregenden Farbtupfer in der Landschaft nackter Beine und bedeckter Schultern dar. Als jedoch die Mehrheit oben herum Haut zeigte und die Beine bedeckte, wurden kurze Röcke wieder interessant.

Mode ist ein gesellschaftliches Angebot, das den Zeitgeist in Aussehen übersetzt. Sie ist nicht an individuelle Bedürfnisse angepasst. Wer die Kunst beherrscht, die Mode auf seine Person zuzuschneiden, besitzt Stil. »Stil bedeutet, sich selbst zu erfinden«, sagte einst Diana Vreeland, legendäre Chefin der Modezeitschrift *Harper's Bazaar*. Über Geschmack lässt sich streiten, über Stil nicht. Stil ist die Kunst, aus dem umfangreichen Modeangebot auszuwählen, was zu Ihrer Persönlichkeit und Ihrer Lebenssituation passt, und daraus ein stimmiges Ganzes zu komponieren. Stimmen Beruf und Temperament überein? Dann ist der persönliche Stil leichter zu finden, als wenn zum Beispiel ein schüchterner Mensch vor eine Kamera treten soll. Im diesem Fall wären Kompromisse nötig.

Wie Sie Ihren persönlichen Stil finden

Zum Glück kennen wir viele prominente Vorbilder für die kreative Lösung von Stilproblemen. Aber nicht imitieren! Wer sich als zweite Madonna oder Christina Aguilera herausputzt, wird nie mehr darstellen als ein langweiliges Plagiat. Viel geschickter ist es, von den Originalen zu lernen, wie man einen eigenen Stil findet. Ein möglicher Weg besteht darin, sich zunächst für ein Grundmuster zu entscheiden und dann mit den Details zu experimentieren.

Es gibt vier stilistische Grundmuster, die den vier Temperamenten und vier Lebenssituationen entsprechen:

1. *Dramatisch* heißt ein sehr modebewusster Stil mit kühnen Farben, Schnitten und Accessoires. Er passt zum sanguinischen Temperament und zur Showbranche. Kreative, dominante und kontaktfreudige Menschen, die es lieben aufzufallen, werden sich in ihm wohl fühlen.

2. *Klassisch* heißt der traditionsbewusste Stil, der auf einfache, konservative Linien setzt. Formelle Kleidung gibt ihrem Träger Sicherheit. Er passt zum cholerischen Temperament und Karriereberufen. Ehrgeizige Menschen, für die Hierarchie, Disziplin und Fleiß unverzichtbare Werte darstellen, bevorzugen diesen Look.

3. *Natürlich* nennt man den informellen, bequemen Stil, der sich wenig um Modetrends schert. Das phlegmatische Temperament und Menschen, die in Routineberufen ohne große Aufstiegschancen eine ruhige Kugel schieben, fühlen sich in sportlicher bis legerer Kleidung wohl. Ein geübtes Auge erkennt genau, ob jemand aus Faulheit im Schlabberlook herumläuft oder in diesem Grundmuster seinen persönlichen Stil gefunden hat. Dann wirken die Teile nicht wie zufällig zusammengewürfelt, sondern harmonisch aufeinander abgestimmt. Nur im zweiten Fall sagen wir: »Sie kleidet sich einfach, aber mit Stil.«

4. *Romantisch* heißt ein verspielter, sehr femininer Stil, der auf bewegliche Silhouetten mit weichen Linien setzt. Zu ihm gehört das melancholische Temperament und Berufe, in denen der Einzelne abseits vom Team – am Computer oder in seiner Werkstatt – erst richtig aufblüht. Leise, sensible Menschen, die mit ihrer Schüchternheit zu kämpfen haben, gewinnen mit diesem Stil eine stille Ausstrahlung.

In unserer Zeit, die auf Flexibilität und Mobilität setzt, ist Stilmix modern geworden. Man setzt auf den kalkulierten Bruch mit den bewährten Mustern. Stilettos zum Nadelstreifenanzug mischen zum Beispiel das dramatische mit dem klassischen Grundmuster. Ein origineller Stilmix wirkt spontan und selbstironisch. Falls er gelingt, was leider nicht oft der Fall ist. Denn er signalisiert eine Persönlichkeit, die auffällige Widersprüche in sich vereinigt. Eine Gratwanderung, die leicht ins Lächerliche abgleitet. Wo jeder einen eigenen, originellen Look erfinden will, bricht am Ende eine stillose Beliebigkeit aus. Aus der Masse der Formlosen heben sich dann die wenigen heraus, die sich wieder zu einem eindeutigen Stil bekennen.

Als Friseure mehr verdienten als ein Minister

Stellen Sie sich vor, Sie dürften auf der Redaktionssitzung einer großen Frauenzeitschrift Mäuschen spielen. Es herrscht Themenflaute. Seit Wochen keine neuen Modenschauen, alle Diäten wurden schon x-mal vorgestellt, selbst die Promis halten sich mit Affären und Scheidungen zurück. »Womit füllen wir das nächste Heft?«, lautet die verzweifelte Frage der Chefin. Wetten, dass sich aus irgendeiner Ecke ein Stimmchen meldet: »Warum machen wir nicht mal wieder was über Frisuren?«

Jahrzehntelange Erfahrung beweist: Setzen Sie die Überschrift »30 neue Top-Frisuren« auf das Titelblatt, und der Absatz des Heftes ist gesichert. Befragungen ergaben, dass jeder fünften Frau eine perfekte Frisur wichtiger ist als ein leidenschaftliches Sexleben. Fast jeder zweiten Frau ist es wichtig, beim Sex gut auszusehen. Und ihr einziger Schmuck, wenn alle Hüllen fallen, sind – ihre Haare.

Auf schönes Haar richteten unsere Vorfahren schon ihr Augenmerk, als noch niemand an Kleider oder Schuhe dachte. Bereits die alten Ägypter kannten Perücken und Haarfärbetechniken. Die Germanen schätzten ihre langen blonden Haare auf dem Kopf und am Kinn als Statussymbol freier Männer. Unfreie zwangen sie, mit kahl geschorenem Schädel und nacktem Kinn herumzulaufen. Beim großen Caesar machte sich schon in jungen Jahren eine Glatze bemerkbar. Er kaschierte sie mit einem Lorbeerkranz und setzte so eine Mode in Gang. Anderthalb Jahrtausende später litt Ludwig der Vierzehnte, der »Sonnenkönig«, in Frankreich unter dem gleichen Problem. Er setzte sich eine Perücke aufs Haupt. Eine Sitte, die seine gesamte Gefolgschaft am Hofe von Versailles übernahm. Sie breitete sich von dort über die deutschen Fürstentümer bis nach Sankt Petersburg aus. Noch heute gebrauchen die Russen das deutsche Wort »Perückenmacher« für den Beruf des Friseurs.

Bei den Damen brach zur gleichen Zeit ein Wetteifer aus, die Haare höher aufzutürmen als jede Rivalin. Wo der natürliche Kopfschmuck nicht ausreichte, ließen sie künstliche Vogelnester, Blumengebinde oder Modelle von Schiffen und Schlössern in ihre Frisuren einflechten. So entstanden Kunstwerke, die sie zwangen, nachts aufrecht sitzend zu schlafen, um die Prachtbauten auf ihren Köpfen nicht zu zerstören. Manche Haarkünstler übertrafen Bildhauer und Maler an Talent und Renommee. Der Friseur der Königin Marie Antoinette verdiente mehr als ihr Finanzminister.

Bis ins 19. Jahrhundert färbten, frisierten und ondulierten Männer ihre Haare genauso aufwendig wie die Frauen. Auch ihre Bärte. Schon die Ägypter und Assyrer griffen zu künstlichen

Bärten, wenn die Natur nicht genug sprießen ließ. Als 1505 vor Christus ausnahmsweise eine Pharaonenwitwe auf den Thron gelangte, trug auch sie einen Kunstbart zum Zeichen ihrer Königswürde. Ab dem 12. Jahrhundert finden wir in Europa abwechselnd geflochtene Langbärte, Knebel- und Kinnbärte sowie ausgezogene Schnurrbärte. Das 19. Jahrhundert gehörte den Vollbärtigen, wie Porträts von Karl Marx, Jules Verne oder Charles Darwin beweisen. Erst die Weltkriege verhalfen dem militärischen Kurzhaarschnitt zum Siegeszug. Mit Vollbart unter die Gasmaske? Undenkbar! Sobald die Hippies das lange Haar zurückbrachten, brachen Konflikte mit dem Militär aus. Als einige Armeen sich endlich liberal zeigten und eine Haarnetzverordnung erließen – lange Mähnen sind zu tolerieren, solange ein Netz sie bändigt –, war die Hippiebewegung samt ihrer Mode schon wieder am Abklingen.

Was tote Haare über lebende Körper aussagen

Chemisch sind Haare nichts weiter als tote Hautzellen. Ihr Hauptbestandteil ist Keratin, ein schwefelhaltiges Eiweiß. Es verleiht auch Finger- und Zehennägeln Stabilität, ja sogar den Federn der Vögel, den Geweihen von Elch und Hirsch sowie den Hufen von Pferden, Rindern oder Schafen. Ausgerechnet ein totes Material soll verraten, wie gesund und lebendig wir sind? Das scheint paradox, und doch ist es so. Ein gesundes Haar wächst alle drei Tage um einen Millimeter, und das zwei bis sechs Jahre lang. Ein weiteres Vierteljahr haftet das Haar noch auf dem Kopf, ohne weiter zu wachsen. Dann fällt es aus, und an derselben Stelle sprießt ein neues. Wir haben rund 100 000 Haare auf dem Kopf. Fünfzig bis höchstens hundert fallen täglich aus, um durch Nachfolger ersetzt zu werden.

Dieser Prozess kann durch vielfältige Störungen beeinträchtigt werden. Haare können zu dünn, zu kurz, zu glanzlos sein. Sie können zerspleißen, nicht mehr weiter wachsen oder – Gipfel allen Ärgers – in Massen ausfallen. Die äußere Schicht des Haares, die so genannte Kutikula, besteht aus mehreren Lagen. Sie schützen es vor äußeren Einwirkungen. Liegen die Schutzschuppen flach aneinander, reflektieren sie das Licht – das Haar glänzt. Wird es beschädigt, blättern die Schutzschichten. Das Haar wirkt stumpf und ohne Glanz.

Im Innern des Haares, unterhalb der Kutikula, befindet sich der Haarkortex. Er besteht aus Faserschichten, die dem Haar Stärke, Elastizität und dank der eingelagerten Pigmente Farbe verleihen. Durch seine verflochtenen Fasern besitzt das Haar eine enorme Reißfestigkeit und Dehnbarkeit – wenn es nass ist, bis fast auf seine doppelte Länge.

Stumpfes, kaputtes, ausgefranstes Haar prägen den ersten Eindruck in einem solchen Maße negativ, dass andere Merkmale des Aussehens es nicht mehr schaffen, das Bild zu korrigieren. Das stellte der Forscher Reinhold Bergler in einer umfassenden Studie über die Wirkung von Frisuren fest. »Wenn der Kopf ab ist, weint man den Haaren nicht nach«, witzelte einst der sowjetische Parteiführer Nikita Chruschtschow. Wer seinen Kopf noch hat, möchte freilich gern auch seine Haare behalten. Haarverlust ist ein typisches Alterssignal, unter dem jeder dritte Mann und jede zehnte Frau leidet. Lange Zeit galt es nur als kosmetisches Problem. Inzwischen kennen die Mediziner die Ursachen genauer. Bei 80 Prozent der betroffenen Männer ist die Störung ererbt. Ihre Haarwurzeln reagieren empfindlich auf das Hormon Testosteron. Es hemmt das Haarwachstum. Ein Zwischenprodukt des Hormons, das Dihydrotestosteron, verhärtet das Bindegewebe um den Haarfollikel. Die Folge: Es gelangen nicht mehr genug Nährstoffe zum Haar, es wird dünner oder fällt ganz aus. Mit Geheimratsecken fängt die Kahlheit an. Dann breitet sie sich zur Schädelmitte aus und erfasst zuletzt den äußeren Haarkranz.

Neuere Laborstudien zeigen, dass Produkte unseres Fettstoffwechsels den Hormonhaushalt belasten und über diesen Umweg die Haarwurzeln schädigen. Vegetarische Ernährung nützt also nicht nur der Figur, sondern auch dem, was auf ihr wächst. Japanische Männer essen heute viermal so viel Fett wie vor hundert Jahren. Die Zahl derjenigen, die vorzeitig ihren Haarschopf einbüßen, vervierfachte sich ebenfalls.

Bei Frauen verdünnt sich das Haar entlang des Scheitels. Ursache ist meist ein gesunkener Östrogenspiegel durch eine Pillenpause, nach einer Schwangerschaft oder in den Wechseljahren. Denn Östrogen fördert den Haarwuchs. Alles, was der Gesundheit schadet, greift auch die Haare an – Mangelernährung, Hormonstörungen, Stress oder entzündliche Krankheiten. Noch sind längst nicht alle Faktoren bekannt. Immerhin weiß man, dass Mangel an Vitamin B den Haarausfall fördert. Auch Eisenmangel ist ein Risikofaktor, wie eine Studie im Auftrag des französischen Gesundheitsministeriums zeigte. Von den 5000 befragten Frauen litten die mit der geringsten Eisenversorgung am stärksten unter Haarverlusten. Je niedriger der Ferritinspiegel – das ist das im Blut verfügbare Eisen –, umso dünner ihre Frisur. Ohne Eisen gelangt nicht genug Sauerstoff zum Haar. Weitere Substanzen, die das Haar unbedingt benötigt, sind Zink – es steuert Enzyme, die für das Wachstum zuständig sind – und Biotin, ein Vitamin, das die Ernährung von Haut und Haar fördert.

Ihr Haar bewahrt mehr Informationen über Sie auf als die Datenbank eines beliebigen Geheimdienstes. Ihren Lebenspartner können Sie über heimliche Naschsünden im Unklaren lassen, eine Laborantin, die ein Haar von Ihnen in ihre Finger bekommt, nicht. Das Haar speichert für viele Monate, womit der Körper in Berührung gekommen ist. In Urin- und Blutuntersuchungen sind viele Substanzen dagegen schon nach einer Woche nicht mehr nachweisbar. Während ein Haar sich bildet, lagern seine Zellen minimale Mengen von allem ein, was in den Stoffwechsel des Körpers gelangte. Wenn es verhornt und aus der Kopfhaut wächst, konserviert es diese Zellinhalte: Schadstoffe, Medikamente, Nahrungszusammensetzung und körpereigene Hormone. Das sind Dutzende von Hinweisen, wie es um Ihre Gesundheit bestellt ist. Sogar für einen Vaterschaftstest genügt eine Haaruntersuchung.

Bleiben täglich mehr als 100 Haare im Kamm hängen, ist Glatzenalarm angesagt. Nach einer Studie des Deutschen Grünen Kreuzes leiden bis zum 45. Lebensjahr drei Prozent mehr Frauen als Männer unter Haarausfall. Eine Reihe von Schilddrüsen-, Leber- und Nierenschäden können daran schuld sein, aber auch Lungenentzündungen und andere Infekte, Pilz- und Parasitenbefall und sogar Medikamente, zum Beispiel Blutdrucksenker und Vitamin-A-Säure, die gegen Akne zum Einsatz gelangt. Am erstaunlichsten ist aber die Wirkung von seelischen Erschütterungen und Dauerstress. Jeder kennt wohl Berichte, wo jemand nach einer grauenhaften Katastrophe mit weißem Haar erwachte oder sie sich büschelweise vom Kopf zupfen konnte.

Perücken und Toupets aus Echthaar, Haartransplantationen, -verlängerungen und -kuren können heute einem Haarschopf den Anschein von Gesundheit geben, obwohl er schwer beschädigt oder gar nicht mehr vorhanden ist. Schon ein Esslöffel Gelatinepulver ins Shampoo gemischt genügt, um dünnem Haar Fülle zu verleihen. Unsere Großmütter schworen auf Bier. Es wirkt adstringierend. Das bedeutet, die feine Schuppenschicht auf der Haaroberfläche zieht sich zusammen. Das gibt Festigkeit und Glanz. Obwohl wir also wissen, dass nicht alles gesund ist, was auf fremden Köpfen glänzt, können wir uns der Faszination einer wallenden Mähne kaum entziehen.

Warum Blondinenwitze so beliebt sind

Ein Bauchredner lässt die Clownspuppe auf seinem Arm am laufenden Band Blondinenwitze erzählen. Das Publikum lacht grölend. Mit Ausnahme einer einzelnen Blondine in der ersten Reihe. Ihr Blick wird immer finsterer, bis sie schließlich zwischen zwei Lachern dazwischenruft: »Sie sollten sich was schämen! Es ist längst erwiesen, dass blonde Frauen mindestens ebenso intelligent sind wie Dunkelhaarige. Sie sind fleißig, gebildet, klug, lebenserfahren, belastbar, aufopferungsvolle Mütter ...«

Der Bauchredner antwortet verlegen: »Ich wollte Ihnen nicht zu nahe treten, meine Dame. Im Gegenteil, die Übertreibung macht die Klischees lächerlich und zeigt ...«

Ärgerlich unterbricht sie ihn: »Was mischen Sie sich ein? Ich rede mit dem Kerlchen da auf Ihrem Arm!«

Blondinenwitze stellen uns vor ein ernsthaftes Problem: Kann man von Haarfarbe und -styling auf Intelligenz und Charakter schließen? Falls Sie diese Frage mit Nein beantworten möchten – wir tun es unentwegt. Frauen entscheiden anhand von Frisuren, ob ihre Träger(innen) kontaktfreudig, auf äußere Wirkung bedacht, angepasst oder frech, modisch und gesundheitsbewusst sind. Männer gehen noch weiter. Sie bilden sich sogar ein Urteil über die Intelligenz, Verträglichkeit, Leistungsbereitschaft und politische Einstellung, die unter der Frisur steckt. Wer neigt nicht dazu, unter einem kahl rasierten Schädel eine rechte und unter einer langen Männermähne eine linke Gesinnung zu vermuten?

Wie Frisuren Charakterurteile bestimmen

Marianne LaFrance von der amerikanischen Yale-Universität setzte Männer- und Frauenfotos am Computer vier verschiedene Haartrachten auf. Betrachter beiderlei Geschlechts hatten keine Probleme, sich ein Bild vom Charakter der fotografierten Personen zu machen. Bei jeder der vier Frisuren fielen die Urteile anders aus – obwohl die Personen unter den wechselnden Haartrachten dieselben geblieben waren. »Der erste Eindruck, den wir uns von einem Menschen machen, entsteht durch die Haare«, lautet das Fazit ihrer Studie. »Dabei wird die Frisur noch vor dem Gesicht wahrgenommen.«

Langhaarige Männer kamen am schlechtesten weg. Ungehobelt, dumm, arm, nachlässig lauteten die wenig schmeichelhaften Urteile. Trugen sie halblanges Haar mit Seitenscheitel, vermuteten die Betrachter Wohlstand und Intelligenz. Rückte der Scheitel zur Mitte, wandelten sie sich zu langweiligen Durchschnittstypen ohne Sexappeal. Kurzhaarfrisuren mit Strähnchen konnten einige Pluspunkte als kreativ-flippige Individualisten sammeln. Ein kahler Schädel schadet dem Sexappeal. Zeigt man Frauen die gleichen Männerhäupter einmal mit Haar und einmal ohne, so empfinden sie die Glatzen bis zu sechsmal weniger attraktiv. Sie glauben also nicht an den männlichen Mythos, Kahlköpfe wären besonders potent. Zu Recht, denn der Mythos ist falsch. Nicht das Männlichkeitshormon Testosteron ist schuld an dem Haarausfall, sondern eine Überzahl an Andockstellen für dieses Hormon an den Haarwurzeln. Kahle Männer verfügen also nicht über mehr Testosteron, sondern nur über besonders empfindliche Haarfollikel. Lediglich sehr jungen Burschen kann eine Kopfrasur nützen. Sie lässt sie erwachsener und dominanter wirken, was vielen Mädchen imponiert.

Auch im Berufsleben bringt Haarmangel eher Nachteile. Der Forscher Bernd Tischer legte 98 Personalchefs Bewerbungsfotos vor und fragte, wen sie zu einem Bewerbungsgespräch einladen würden. Auch in seiner Studie wendete er den Trick an, einige Männer doppelt auftauchen zu lassen, einmal mit Halbglatze und einmal mit vollem Haar. Die Personalchefs wollten

41 Prozent der Bewerber mit vollem Haar eine Chance geben. Die Zahl fiel auf 27 Prozent, sobald die Fotos eine Halbglatze zeigten. Hinterher bestritten die Chefs, dass ihre Auswahl etwas mit der Frisur zu tun hatte, gaben aber zu, die Männer mit vollem Haar seriöser und dynamischer zu finden.

Warum diese instinktive Ablehnung? Als der Weltklasse-Schiedsrichter Pierluigi Collina mit 24 Jahren alle Haare verlor, war eine Stoffwechselkrankheit Schuld. Aus Angst, sein neuer Kopfschmuck »Modell Billardkugel« könnte allgemeines Gelächter auslösen, ließ ihn der Fußballverband zunächst ein Spiel in der obersten Amateurklasse pfeifen. Erst als der Test ohne Eklat über die Bühne ging, war für ihn der Weg an die Weltspitze frei. Viele von uns empfinden beim Anblick kahler Stellen auf dem Schädel ein ähnliches Unbehagen wie bei Ausschlag, geröteten Augen, Blässe und anderen äußerlichen Krankheitsanzeichen.

War bei den Männern der Scheitel wichtig, so profitierten Frauenköpfe von der Haarfarbe und -länge. Klar – langes, blondes, glattes Haar heimste die meisten Punkte für Erotik ein. Allerdings auch für brave Erziehung, Wohlstand, Egoismus und mangelnde Toleranz. Unter einem weiblichen Kurzhaar-Strähnchen-Look vermuteten die Betrachter der Fotos eine moderne Frau, unabhängig, selbstbewusst, intelligent, aber mit wenig Sexappeal. Mittellange, dunkle Haaren sprachen für eine unkomplizierte, selbstlose Frau. Dunkle Locken kamen am schlechtesten weg. Die Betrachter schlossen auf geringe Intelligenz und Selbstsicherheit. Blonde und brünette Haare wirkten attraktiver als rote oder schwarze.

Kein Wunder also, wie sehr eine schlechte Frisur unser Selbstwertgefühl zum Absturz bringen kann. Amerikanische Forscher schickten Leute unfrisiert in die Öffentlichkeit und beobachteten wahre Dramen. Zu ihrem Erstaunen büßten die zerwuselten Männer noch mehr an Selbstvertrauen ein als ungekämmte Frauen. Die Herren zeigten deutliche Anzeichen von Nervosität und umgingen so viel Kontakte wie möglich. Allein die Vorstellung abstehender fettiger Haare auf dem eigenen Kopf genügte, um sich auf dem gesellschaftlichen Parkett unterlegen zu fühlen.

Wie die Haarfarbe den Charakter prägt

Was ist dran an den kühlen Blonden, den feurigen Rothaarigen und den verborgenen Leidenschaften der Dunklen? Nichts weiter als Vorurteile? Im Gegenteil. Die Farbe beeinflusst in zweifacher Weise die Persönlichkeit. Zum einen behandeln wir Blonde, Rote, Brünette und Schwarze unwillkürlich so wie wir glauben, dass Blonde, Rote, Brünette und Schwarze sein sollen, und zwar von Kindesbeinen an. Gerade Kinder sind von den Urteilen der Erwachsenen abhängig und neigen dazu, sich nach ihren Vorgaben zu richten. Wutanfälle eines rothaarigen Kindes quittieren die Eltern eher mit einem nachsichtigen Lächeln und schieben sie auf sein angeborenes Temperament. Es kann daher gefahrlos weiter lostoben, während sein brünettes Geschwisterchen gnadenlos bestraft wird.

Zum zweiten besteht auch ein direkter Zusammenhang zwischen Biologie und Psyche. Unser Haar verdankt seine Farbe den Hautpigmenten. Echte Blondinen haben eine hellere Haut und somit weniger Farbpigmente als Frauen mit dunklem Haar. Die Pigmentmengen wiederum unterliegen der Mitbestimmung von Hormonen, insbesondere Adrenalin, Melatonin und Serotonin. Ihre Anteile im Blut sind bei jedem Menschen verschieden. Diese Hormone regeln aber nicht nur die Haarfarbe, sondern auch wichtige Charaktereigenschaften wie Gelassenheit oder Zorn, gute und schlechte Stimmung, Stressanfälligkeit und Ruhebedürfnisse. Die Haarfarbe liefert Hinweise auf das Temperament.

Zwischen Blond und Brünett liegen Welten

Blonde schneiden bei Persönlichkeitstests im Bereich Faktenwissen außergewöhnlich gut ab. Das mag zum einen eine Trotzreaktion gegen das Vorurteil vom blonden Dummchen sein. Zum andern scheinen Blonde ihre Gefühle aber recht gut im Griff zu haben. Der genetische Unterschied hängt mit dem Klima zusammen. Schon vor Jahrhunderten stellten Reisende die selbstbeherrschten Völker des Nordens – blond, selbstbeherrscht und kühle Rechner – den heißblütigen Temperamenten des Südens gegenüber.

Die Vorliebe der Männer für blonde Frauen hat zum einen etwas mit ihrer kindlichen Ausstrahlung zu tun. Viele Kinder sind naturblond. Die meisten dunkeln im Laufe des Lebens nach. Unter den erwachsenen Frauen sind in unseren Breiten nur noch acht Prozent von Natur aus blond. Das Seltene zieht größere Aufmerksamkeit auf sich. Zeigt man Männern zehn Fotos gleich schöner Frauen, von denen neun brünett und eine blond ist, wählen sie mehrheitlich die Blonde aus. Kehrt man jedoch die Verhältnisse um – eine Brünette und neun Blonde –, ziehen sie die Brünette vor. Weltweit nimmt die Zahl der Blonden ständig ab, weil die Bevölkerung dort am schnellsten wächst, wo die Einwohner dunkelhaarig und -häutig sind. Im hellhäutigen Norden sinkt dagegen die Geburtenrate. Andererseits steigt der Anteil der chemisch gefärbten Blondinen. Eines Tages wird daher die begehrteste Haarfarbe eine garantiert künstliche sein.

Männer erwarten häufig, die kindlich und zart wirkenden Blondinen leicht beeinflussen zu können. Daher kommt wahrscheinlich auch das Klischee von der blonden Naivität. Ein schwerer Irrtum! Nach der Eheschließung wartet auf beide eine herbe Enttäuschung. Seine Verehrung für sie bricht zusammen, sobald sie sich als Persönlichkeit mit eigenem Willen entpuppt. Und sie entdeckt hinter seiner Ritterlichkeit den

Trotz eines Machos. Die Scheidungsquote der Blondinen ist daher besonders hoch.

Schwarzhaarige Kinder wirken reifer, da ihnen das Kindlichkeitsmerkmal »blond und hellhäutig« abgeht. Das sollte ein Vorteil sein, da sie – ähnlich wie ich es im vorigen Kapitel für großgewachsene Kinder beschrieben habe – stärker gefordert werden. Sind sie aber dunkel und zugleich klein, werden sie leicht übersehen. Denn schwarze Haare wecken längst nicht so viel Aufmerksamkeit wie blonde. Das Ergebnis: Von dunklen Kindern wird viel verlangt, sie erhalten aber wenig Anerkennung. Solche Kinder werden häufig von Selbstzweifeln und Anfällen schlechter Laune geplagt. Die Eroberungssucht des Latin Lovers kann daher auch als Versuch angesehen werden, durch äußere Erfolge die nagenden Zweifel im Innern abzutöten.

Die dunklen Frauen locken mit ihrem exotischen Charme. Aber wehe, der Mann behandelt sie nur wie ein flüchtiges Abenteuer! Rachsucht und starke Bindungsgefühle sind für Südländerinnen typisch. Auffällig viele suchen ihr Heil in Kunst und Religion. Es ist sicher kein Zufall, dass alle großen Religionen und Kulturen in warmen Klimazonen von dunklen Völkern gegründet wurden.

Die Signalfarbe Rot galt im Mittelalter als ein Grund, Scheiterhaufen für Hexen anzuzünden. Dahinter steckt aber mehr. Rothaarige produzieren weniger Anti-Stress-Hormone als andere. Außerdem sind rothaarige Frauen schmerzempfindlicher. Sie benötigen vor einer Operation 20 Prozent mehr Betäubungsmittel, berichtete Edwin Liem von der Universität Louisville im US-Bundesstaat Kentucky auf einer Fachtagung. Die Ursache ist ein spezielles Gen für eine Andockstelle des Hormons Melanocortin. Es steuert die Farbe von Haut und Haar, ist aber auch an der Schmerzverarbeitung beteiligt. Rothaarige besitzen daher häufig ein überschäumendes Temperament. Sie lassen sich schwerer in Konventionen pressen, leben gern als Außenseiter und pfeifen auf Autoritäten. Sie reagieren auf jeden Reiz unmittelbar. Eigensinn, schräge Ideen und das ungefilterte Aussprechen unliebsamer Gedanken sind typisch. Anpassung ist nicht ihre Stärke. Schon in der Antike färbten sich Freudenmädchen die Haare rot, um den Kunden eine leidenschaftliche Nacht zu versprechen.

Die Brünetten verfügen eher über eine ausgeglichene Wesensart. Dafür gibt es zwei Gründe. Von den Erbanlagen her sind sie Mischlinge. Charakterliche Extreme der Eltern heben sich gegenseitig auf. Zum andern erfahren sie schon früh, dass sich die Erwachsenen eher nach blonden und exotischen Kindern umdrehen als nach ihnen. Niemand verleitet sie zu exaltierter Selbstinszenierung. Sie verfügen häufig über einen ausgeglichenen Charakter und neigen nur selten zu Extremen. Laut einer belgischen Studie stellen sie doppelt so viele Nobelpreisträger als es ihrem Anteil in der Bevölkerung entspricht. Ob sie über mehr Beharrlichkeit und Geduld als Blonde oder Rote verfügen, ist nicht bewiesen. Vielleicht entscheiden sie sich lediglich deswegen häufiger für eine Karriere, die auf Fleiß und Wissen setzt, weil es ihnen verwehrt bleibt, mit einem auffälligen Äußeren zu punkten.

Warum Statussymbole mehr sind
als bloße Angeberei

Ein Mann am Steuer eines Autos ist ein
Pfau, der sein Rad in der Hand hält.

Anna Magnani

Sind Sie schon einmal in Ihrem Badeurlaub durch den Jacht-
hafen Ihres Sommerdomizils geschlendert und haben die
prächtigen weißen Kähne der Reichen bewundert? Für alle,
bei denen in solchen Momenten die Sehnsucht nach einer
Segeltörn erwacht, mit Champagner an Bord und spielenden
Delphinen in den Wellen, hat der Schweizer Schriftsteller Jürg
Federspiel einen Trost parat. Ein solches Boot verfüge über
weniger Lebensraum als das winzigste Reihenhäuschen in
der schäbigsten Vorstadt. »Die Reichen, die im Sommer ein
paar Wochen auf einer Jacht vegetieren, gehen sich schon am
zweiten Tag derart aufs Gemüt, dass sie sich gegenseitig ins
Gesicht speien möchten ... Mord steht in den Augen der Männer geschrieben. Sie haben sich das einfache Leben anders vorgestellt, und nirgendwo ein Untergebener, den man anbrüllen
könnte.«

Wie erstrebenswert ist ein Leben in Luxus?

Bestsellerautorin und TV-Moderatorin Amelie Fried unter-
zog in ihrer Kolumne im *Journal für die Frau* fünf Highlights
des Luxuslebens einer vernichtenden Kritik. Kreuzfahrten
erinnerten sie an Ausflüge eines Altersheims, ohne Möglichkeit, zwischendurch mal auf die Straße zu fliehen. Und warum 10 000 Euro für eine Golfmitgliedschaft bezahlen, also die

Erlaubnis mit einem Schläger in der Hand über einen Rasen zu spazieren? Jede Partie Minigolf zu sieben Euro biete mehr Spaß. Designerklamotten und Society-Partys – nichts weiter als Verschwendung und gähnende Langeweile. Am schlechtesten aber kommt bei ihr der Prominentenstatus weg. Wer schon einmal über Wochen von Paparazzi belagert wurde, meint sie, sehne sich nach den Jahren zurück, in denen er als völlig Unbekannter sein Leben in aller Stille genießen durfte.

Amelie Fried muss es wissen. Sie ist prominent, und über das nötige Kleingeld verfügt sie ebenfalls. Nur – warum unternehmen dann Prominente jede Anstrengung, um weiter prominent zu bleiben? Weshalb würden Zehntausende Normalbürger lieber heute als morgen ihr stilles Leben aufgeben, um einmal im Licht der Öffentlichkeit zu stehen? Warum hoffen Millionen Lottospieler Woche für Woche auf den Geldsegen für ein Leben in Glamour und Luxus?

Bringen Statussymbole irgendeinen Nutzen?

Große Autos und schwere Juwelen haben einen miesen Ruf. Echte Noblesse stellt ihren Reichtum nicht protzig zur Schau. Wenn schon die Glücksgüter so ungerecht verteilt sind, sollte man die Benachteiligten nicht noch verhöhnen, sondern seine Millionen in aller Stille verschleudern. Der Geldadel bleibt gern unter sich. Das Wachpersonal seiner Clubs, Casinos und Hotels erlaubt nur Auserwählten den Zutritt. Diese Exklusivität ist kein Zeichen vornehmer Gesinnung, sondern resultiert aus bitterer Erfahrung. Als die französische Aristokratie im 18. Jahrhundert öffentlich rauschende Feste feierte, während das hungernde Volk von draußen zusah, kam es zur Revolte. Bald rollten die Köpfe der Fürsten unter der Guillotine. Knapp 130 Jahre später wiederholte sich die gleiche Tragödie in Russland.

Viele Adlige von heute sind verschuldet. Sie können ihre Schlösser oft nur mit öffentlichen Zuwendungen instand halten, indem sie sie zur Besichtigung freigeben. Das Erbe der Vorfahren ist längst aufgebraucht, die großen Güter und die Leibeigenen verschwunden. Ihr heutiges Einkommen verdanken sie ihren alten Titeln und dem Namenszusatz »von«, die sie clever vermarkten. So mancher stellt nur deshalb keinen Reichtum zur Schau, weil er keinen mehr hat. Seit Anfang des 19. Jahrhunderts gelangten die Millionen in die Hände des Bürgertums. Die Neureichen besaßen keine ererbten Namen. Die Elite der Industriellen und Bankiers musste andere Wege finden, um sich von der Masse der Durchschnittsverdiener abzuheben.

So wie körperliche Symmetrie gesundheitliche Ausgewogenheit oder faltenlose Haut Jugend anzeigen, dienen Statussymbole dazu, die gesellschaftliche Stellung ihrer Besitzer anzuzeigen. Ein Blick genügt, um die Spreu vom Weizen zu trennen. Da solche Signale nur indirekte Hinweise liefern – niemand trägt seinen Kontostand auf der Stirn eingraviert –, laden sie zu Täuschungsmanövern ein. Wer unbedingt will, kann einen höheren Rang vorspielen, als er tatsächlich einnimmt. Umso tiefer ist sein Fall, wenn nach einiger Zeit der Betrug auffliegt. Hochstapler, die über Jahre ihr Publikum erfolgreich übers Ohr hauen, sind äußerst selten. Sie benötigen schauspielerische Begabung und viel Selbstdisziplin, um sich in keinem Augenblick zu verraten. Wir mögen zwar leichtgläubig sein – aber wir beobachten genau, ob der Auftritt in sich stimmig ist. Wer in einem dicken Mercedes vorfährt, sich aber wie ein Hinterwäldler aufführt, wird uns kaum überzeugen, dass er den Wagen seiner eigenen Tüchtigkeit verdankt.

Hier finden wir die Erklärung, warum Statussymbole anrüchig sind, aber dennoch ihren Besitzer aufwerten. Auf das Verhalten kommt es an. Lenkt der Fahrer sein Sportcoupé so selbstverständlich durch die Gassen wie ein Student sein Fahr-

rad? Oder jagt er ihn grölend und hupend über die Einkaufs-
meile? Symbole, die Wohlstand und gesellschaftliche Position
subtil zur Schau stellen, sind wirkungsvoller als die meisten
von uns ahnen.

Ist der Charakter wichtiger als
die soziale Stellung?

Möchten Sie lieber 50 000 oder 60 000 Euro Jahresgehalt? Die
Frage ist gar nicht so absurd wie sie klingt. Die Antwort hängt
davon ab, wie viel die Kollegen verdienen. Psychologen stellten
Freiwillige vor die Wahl:

a. Möchtet ihr 50 000 Euro Jahreseinkommen in einem Betrieb, wo alle anderen 45 000 Euro verdienen?

b. Oder möchtet ihr lieber 60 000 Euro in einer Firma, wo die
Kollegen 75 000 Euro erhalten?

Die Mehrzahl entschied sich für a, also das niedrigere Gehalt.
Vor den anderen zu rangieren, den höheren Status innezuha-
ben, war ihnen wichtiger. Sich tolle Dinge leisten zu können
von seinem Gehalt, macht nicht unbedingt zufriedener. Aber
mehr zu haben als andere – das stimmt die Leute glücklich.
Diese Lebenseinstellung entdeckten amerikanische Soziologen
im August 2005 bei der Auswertung von über 20 000 Fragebögen. Männer legen besonders viel Wert darauf, die Nase vorn
zu haben. Wegen der Frauen.

Frauen sind das älteste Statussymbol der Welt. Als unsere fernen Vorfahren noch auf der Jagd nach Antilopen und
Mammuts durch eiszeitliche Steppen zogen und mit Nachbar-
stämmen um die besten Jagdgründe kämpften, stellten Frauen
Trophäen dar, die den erfolgreichen Krieger schmückten. In
Friedenszeiten herrschte ein schwungvoller Handel Frau gegen Vieh. Noch heute tauschen heiratswillige Männer in Asien
und Afrika ihre Bräute gegen Ziegen oder Kamele ein. Mit die-

sen rauen Sitten schützte sich die Menschheit in ihrer Frühzeit gegen Inzucht. Die Frauen heirateten aus ihrem Stamm heraus und in fremde Familien ein. Sie sorgten so für genetische Vielfalt. Die Frauen nahmen diese Verhältnisse aber nicht passiv hin. Sondern sie entwickelten Vorlieben in der Partnerwahl, die über alle Kulturen hinweg erstaunlich ähnlich sind.

Was Frauen an Männern beeindruckt

Frauen lieben Sieger. Dieses Prinzip scheint ein fester Bestandteil ihrer Gene zu sein. Die Anthropologin Kristin Hawkes entdeckte, dass bei Naturvölkern die Mädels die besten Jäger des Stammes am ehesten an sich heranlassen. Ein fähiger Speerwerfer kann seine Familie beschützen und versorgen. Sein hoher Rang steigert auch das Ansehen seiner Frau und ihres Nachwuchses. Wenn in jeder Generation die tüchtigsten Männer die meisten Kinder zeugten, musste eine Auslese in Richtung Erfindungsgeist und Erfolg in Gang kommen. Die Versager blieben auf der Strecke. Das wirft ein neues Licht auf die menschliche Geschichte. Die Männer brachten zwar 90 Prozent der physikalischen und technischen Entdeckungen hervor. Der größte Dank gebührt jedoch den Frauen. Sie wählten die Fähigsten als Partner aus. Durch ihre Wahl gelangten die Menschen letztlich von den Bäumen in vollklimatisierte Wolkenkratzer.

Welche Ansprüche stellen moderne Frauen an den künftigen Partner? Nach einer Befragung des Wieners Karl Grammer liegt der Status auf Platz drei der weiblichen Werteskala. Nur dass der Mann verständnisvoll und verträglich ist, halten sie für noch wichtiger. Sein Status ist ihnen damit mehr wert als seine Gesundheit, Attraktivität, Intelligenz und sonstige Persönlichkeit. Männer urteilen genau umgekehrt. Der Status seiner Liebsten rangiert erst auf Platz zehn seiner Ansprüche.

Ihre übrigen Eigenschaften bedeuten ihm mehr. Ähnliche Studien, die in verschiedenen Ländern von 1939 bis zur Gegenwart durchgeführt wurden, ergaben stets, dass ihr seine ökonomischen Ressourcen doppelt so wichtig waren wie ihm die ihren.

Die moderne Frau hat ihr eigenes Einkommen. Wenn sie heutzutage allein einen hohen Status erringen kann – braucht sie dann noch einen Siegertypen an ihrer Seite? Eine Universitätsprofessorin oder eine Richterin könnte sich zum Beispiel mit einem liebevollen Karrieremuffel zusammentun. Einem, der seiner Frau den beruflichen Ehrgeiz gönnt und sich lieber den Kindern und dem Haushalt widmet. Mit ihrem Gehalt kann sie die Familie locker allein ernähren.

Dieses alternative Modell ist ein Lieblingskind der Medien, kommt aber praktisch so gut wie nie vor. Die Zahl der Hausmänner stagniert seit Jahren bei unter ein Prozent. 81 Prozent der liierten Deutschen können sich laut einer Emnid-Umfrage zwar eine Beziehung vorstellen, in der der Mann weniger verdient. Trotzdem vermeiden sie solch ein Einkommensgefälle lieber. Nur bei 15 Prozent der Paare hat er tatsächlich weniger in der Lohntüte als sie. Kein Wunder, je ehrgeiziger die Frau ist, desto mehr Ehrgeiz erwartet sie von ihrem Mann. Wenn sie selbst 5000 Euro im Monat verdient, sollte er es wenigstens auf 6000 bringen.

Warum Erfolg sexy macht

Zu welchen Problemen das führen kann, erlebte ich bei einem Paar aus meinem Bekanntenkreis. Kathrin übernahm Ende der neunziger Jahre die stellvertretende Leitung einer Bankfiliale, Rolf hatte einen Spitzenjob bei einer Softwarefirma inne. 2001 kam die Wirtschaftskrise. Rolf erhielt die Kündigung. Eine Weile schrieb er Bewerbungen. Nach ungefähr der fünfzigsten sagte er: »Ich werde mich erst einmal eine Weile um die Familie kümmern.«

Eine Zeit lang war Kathrin recht froh, dass er sie zu Hause entlastete und sämtliche Einkäufe übernahm. Bis sie anfing, ihn zu fragen, ob er sich nicht mal um eine Umschulung kümmern wolle. Warum er keine Bewerbungen mehr schreibe. Warum er nicht die Messen seiner Branche besuche, sich nicht um neue Kontakte bemühe ...? Rolf fragte erstaunt: »Findest du nicht, dass es uns so besser geht als früher? Wir haben mehr Zeit füreinander. Erinnerst du dich nicht mehr, als wir uns immer nur am Wochenende sahen? Als ich oft noch die Sonntage am Computer verbringen musste?«

Kathrin antwortete: »Willst du dein ganzes Leben auf meine Kosten leben?«

Inzwischen sind die beiden frisch geschieden. Jetzt muss sie ihm Unterhalt zahlen, während das Arbeitsamt ihn in einem Ein-Euro-Job beschäftigt. Eine Studie an 10 000 Männern und Frauen, geleitet von Andrew Oswald von der britischen Universität Warwick, bestätigt: Paare, bei denen der Mann ein besonders hohes Einkommen erzielte, waren am stabilsten. Haus- und Grundbesitz kitten eine Ehe stärker als gemeinsame Kinder.

Frauen beklagen oft die Angst der Männer vor einer starken Partnerin. Ihr Eindruck trügt. Eine Frau, die selbstbewusst auftritt, imponiert den meisten Männern. Sie verdoppeln ihre Anstrengungen, sie zu erobern. Was die Jungs tatsächlich zögern lässt, sich an eine Erfolgsfrau zu binden, sind ihre hohen Ansprüche. Wenn sie verlangt, dass er in der Karriere ihr stets voraus ist, setzt sie ihn unter hohen Druck: »Ehe sie mich eines Tages als Versager abkanzelt ... da suche ich mir lieber eine nette Verkäuferin, bei der ich mich entspannen kann.«

Erfolg macht Männer sexy, das ist keine neue Erkenntnis. »An dem Tag, als er mir sagte, er hätte keinen Ehrgeiz mehr, habe ich aufgehört, ihn zu lieben«, zitiert der französische

Neurologe Boris Cyrulnik eine schöne junge Frau, die an einer seiner Studien teilnahm. Andere drücken sich weniger direkt aus: »Bloß keiner, der mir auf der Tasche liegt! Ich will stolz auf ihn sein können. Er soll mir ein Gefühl von Sicherheit und Geborgenheit vermitteln.«

Je höher ihr Einkommen, desto mehr Wert legt sie auf seine Intelligenz. Zwar kann ein Mann mit mäßiger Intelligenz durchaus erfolgreich sein. Aber wenn sie wissen will, ob er in Zukunft seine Position noch verbessern wird, tut sie gut daran, auf überlegene geistige Fähigkeiten zu achten. Denn Intelligenz erhöht die Karrierechancen. Denkbegabung ermöglicht ihm, immer weiter über sich hinauszuwachsen, während sein weniger talentierter Konkurrent schon das Ende seiner Fahnenstange erreicht hat.

Ganz anders die Einstellung der Männer. Wenn sein Einkommen steigt, erwartet er durchaus nicht, dass seine Frau beruflich mithält. Stattdessen wachsen seine Ansprüche an ihr Aussehen. Nicht weil das Geld seine Fähigkeit verbessert, weibliche Schönheit wahrzunehmen. Sondern weil ihre Schönheit ihn schmückt. Er weiß genau, wie die übrigen Männer denken (schließlich ist er selbst einer): Wenn sie attraktiv ist, ihr Typ aber ein Zwerg mit Glatze und Bauch, was findet sie dann an ihm? Er muss über nicht sichtbare Qualitäten verfügen, also ein toller Hirsch im Bett sein oder sie mit Brillanten bedecken. Ein Mann wird schön durch seinen Besitz. Was sich seine Rivalen in ihren neidischen Träumen auch ausmalen – es ist auf jeden Fall schmeichelhaft für ihn. Es wertet ihn auf. Warum nennen wir den Lebensraum der Prominenten »die Welt der Reichen und Schönen«? Weil die gegensätzlichen Ansprüche von Mann und Frau bei den oberen Zehntausend genau zu der Paarung führen, die wir aus Film und Fernsehen kennen: Die attraktivere Frau heiratet den erfolgreicheren Mann.

Die Statussymbole der Anfänger

Supermänner sind ein knappes Gut. Während hübsche Mädchen immer wieder nachwachsen, sofort zu erkennen und auch auf den Straßen der tiefsten Provinz anzutreffen sind, haben sich die männlichen Stars in Politik und Wirtschaft in geschützte Reservate zurückgezogen. Sie züchten ihre Nachfolger in ihren gut bewachten Bürohochhäusern und Eliteschulen heran. Sie treffen sich in Clubs, zu denen Frauen keinen Zutritt erlangen. Wie kann ein Mädchen da einen der begehrten Kandidaten an ihre Angel bekommen?

Sie kann sich einen Ratgeber »Wie angle ich mir einen Millionär?« kaufen und seine Ratschläge befolgen. Also für teures Geld die Mitgliedschaft in einem Golf- oder Jachtklub erwerben und dort nach Junggesellen Ausschau halten. Oder wenn ihr das Geld fehlt, Anhalterin auf den Zufahrtsstraßen von und zu den Prominententreffs spielen. Oder sich als Zimmermädchen in einem Fünf-Sterne-Hotel bewerben. Auch Krankenschwestern und Stewardessen sollen schon über ihren Beruf eines der raren Junggesellenexemplare erobert haben.

Der Nachteil: Das Verfahren ähnelt dem Lottospiel. Woche für Woche mitspielen – aber ob sie jemals einen Hauptgewinn ziehen wird, ist zweifelhaft. Eine vorausschauende Strategie verspricht da mehr Erfolg. Sie lässt die Falle zuschnappen, bevor er das Siegertreppchen ersteigt. Bevor der Mann unerreichbar wird. Sie schnappt ihn den Rivalinnen weg, ehe die überhaupt ahnen, was für ein Prinz in der Froschhaut steckt. Denn welcher Mann wird schon in den Erfolg hineingeboren? Die wenigen Prinzen von Geblüt heiraten eine Prinzessin. Selten eine Bürgerliche, die den Ratgeber »Wie angle ich mir einen Millionär?« gelesen hat. Die übrigen 99 Prozent Erfolgsmänner fingen als normale Jugendliche mit ein paar Träumen und einer gesunden Portion Ehrgeiz an. Es gab mal eine Zeit, da waren selbst Mick Jagger und Sean Connery noch nicht von Neugierigen umlagert und von Leibwächtern abgeschirmt.

Für beide Typen – der Mann, der es schon geschafft hat, und der Jüngling, der seine Triumphe noch vor sich hat – gibt es unterschiedliche Arten von Statussymbolen, an denen heiratswillige Mädchen sie erkennen. Beim arrivierten Mann sind es sichtbare Zeichen des Wohlstands, also Auto, Haus, Rolex und teure Restaurants. Bei einem Knaben von Anfang 20 stellen solche Güter eher ein Warnzeichen dar. Entweder hat er geerbt und ist gerade dabei, das Vermögen seiner Großeltern zu verschleudern. Oder er ist ein Wichtigtuer, der auf Pump lebt und dem Bankrott entgegensteuert. Die dritte Möglichkeit – eine Blitzkarriere in einem Startup-Unternehmen – verspricht angesichts der letzten Wirtschaftsflaute auch nicht gerade längerfristige Sicherheit.

Stattdessen achtet sie unbewusst auf folgende Anzeichen:

Sprachliche Ausdrucksfähigkeit und großen Wortschatz. Bekanntlich sind schon im Vorschulalter die Mädels den Jungs sprachlich weit voraus. Ein junger Mann, der ihr auf diesem Gebiet das Wasser reichen kann, verfügt über einen wachen Geist und Überzeugungsfähigkeit. Beides nutzt seiner Karriere. Vier Minuten Smalltalk auf einer Party genügen, und sie kann seine rhetorische Kompetenz zuverlässig einschätzen.

Bildungsgrad. Selbst Teenager verraten, wenn sie sich vorstellen, nach ihrem Namen gleich als zweites, was sie tun: »Ich bin der Sven und mache gerade eine Ausbildung in Elektrotechnik.« Mit einem Medizinstudenten unterhalten sich Mädchen länger als mit einem Realschüler, der keinen Ausbildungsplatz gefunden hat. Eine kluge Strategie. Die Statistik bestätigt: Je höher der Abschluss, desto höher in der Regel das künftige Einkommen. In Deutschland ist der Doktortitel ein entscheidendes Aufstiegskriterium, nicht nur an Universitäten, sondern auch in der Wirtschaft. Deswegen gibt es einen blühenden Schwarzmarkt für gekaufte Promotionen.

Gut verdienende Karrieristen aus der Industrie lassen sich von Ghostwritern – meist arbeitslosen Akademikern – eine Promotionsarbeit schreiben und spendieren den Professoren für gefällige Gutachten eine Laborausrüstung.

Bücher. Ein Student, der mit einem Packen Büchern und Hefte durch die Uni eilt, wirkt ehrgeizig. Die Don Juans unter ihnen gehen lieber in der Bibliothek auf Frauenjagd als im Uniclub. Denn die Umgebung verleiht ihnen die Aura eines ernsthaften Büfflers, dem ein guter Abschluss wichtiger ist als nächtelange Partys.

Jackett statt Jeansjacke. Als ich in einem Seminar von dem amerikanischen Experiment erzählte, wonach Frauen junge Männer in Jackett für attraktiver halten, erhob sich unter meinen männlichen Studenten ein ungläubiges Raunen. Keiner von ihnen trug ein Jackett. Ich gab die Frage an meine Studentinnen weiter. Die wunderten sich, dass man sich da überhaupt wundern kann. Selbstverständlich sei ein Kerl mit Sakko viel attraktiver, seriöser, männlicher ... er habe einfach mehr Klasse.

Wieder ein Beispiel, dass Männer nicht wissen, worauf Frauen achten. Dabei verhält sich die Sache sehr einfach. An der Uni sind es fast ausschließlich die Professoren und ihre Assistenten, die ein Jackett tragen. Es zeigt also einen höheren Status an. Es umhüllt einen Mann, der es geschafft hat. Der ausreichend Geld verdient, um eine Familie zu versorgen. Und so stellt sich die Studentin auch ihren Zukünftigen vor. Nicht als Dauerstudenten in T-Shirt und Jeans, sondern als soliden Familienvater mit Doktortitel und Gehalt. Trägt ein Student ein Jackett, folgt er dem Rat der Experten: »Kleide dich so, als ob du die Position, die du anstrebst, schon hast.«

Die Statussymbole der Arrivierten

Trägt er sein Diplom in der Tasche, genügen Bildung und Jackett nicht mehr. In der Firma, in der er sich anschickt, die erste Sprosse der Leiter zu erklimmen, besitzen alle einen Hochschulabschluss und tragen Anzüge. Es gibt einen unausgesprochenen Kodex, wonach der Chef sich eleganter kleidet als seine Angestellten. Wollte der Anfänger mit einem Maßanzug auftrumpfen, könnte es sein, dass er das Probejahr nicht übersteht. Zum Glück kommt er nicht in die Versuchung, da ihm das Geld dafür fehlt. Selbst wenn er es hätte – er würde es lieber in einen starken Wagen investieren. Doch auch da sorgen die Einkommensunterschiede dafür, dass jeder den Wagen fährt, der seinem Status entspricht. Der Chef kommt im Porsche, Abteilungsleiter im Mercedes, kleine Angestellte im VW und der Praktikant auf dem Moped. Ein Vorstandsvorsitzender, der zur Aufsichtsratssitzung radelt, und eine Kantinenangestellte, die im Bugatti zur Schicht fährt, lösen garantiert ein Getuschel unter den Kollegen aus. Mit was für einer Art von Arbeit hat sie sich den Edelschlitten angeschafft? Ob der Chef zu Hause rausgeflogen ist? Oder will er uns auf Lohnkürzungen einstimmen, so nach dem Motto »neue Bescheidenheit«?

Statussymbole sind ein blühender Wirtschaftszweig. Ganze Unternehmen könnten dichtmachen, wenn wir auf einmal Dinge nur noch nach ihrem Nutzwert kaufen würden und nicht, um unsere Mitbürger zu beeindrucken. Der amerikanische Dramatiker Edward Albee erzählte in den sechziger Jahren in seinem Stück »Alles im Garten« die Geschichte des Paares Jenny und Richard, das in einer Vorstadt-Reihenhaus-Siedlung wohnt. Die Nachbarn haben einen neuen Rasenmäher erworben. Prompt spüren die beiden den Wunsch, ebenfalls so eine Maschine über ihr Grundstück zu schieben. Leider reicht Richards Gehalt hinten und vorne nicht. Da macht eine fremde Dame seiner Jenny ein anrüchiges Angebot. Während ihr Mann arbeitet, könne sie ihre Haushaltskasse aufbessern, indem sie durchreisenden Herren ab und zu ein Schäferstündchen gewährt. Gegen gute Bezahlung, versteht sich. Als Jenny nach einem Zögern die unmoralische Offerte annimmt, erwartet sie eine Überraschung. In dem Bordell trifft sie alle ihre Nachbarinnen wieder und begreift, warum sich die andern Familien vor ihr den neuen Rasenmäher leisten konnten.

Heute sind es eher die große Villa oder dickere Wagen, die Statusbewussten schlaflose Nächte bereiten. So ein wildes Geschoss wie ein Porsche wurde sicher nicht erfunden, weil man mit ihm besser zum Markt kommt, um Obst und Gemüse zu kaufen. Der Hersteller wirbt für seine Luxusschlitten mit Schlagworten wie Sportlichkeit, Innovation und Qualität. Der praktische Nutzen rechtfertigt die Anschaffungskosten nicht einmal annähernd. Erst recht nicht im Zeitalter steigender Spritpreise.

Ein Fernsehteam ließ vor einigen Jahren einen Smart gegen einen Porsche antreten. Beide Wagen sollten die Fahrt von Berlin nach Hamburg an einem stinknormalen Vormittag zurücklegen, also außerhalb der Stauzeiten. Das Ergebnis: Der Porsche kam lediglich eine Viertelstunde eher ans Ziel. Das Einzige, indem sich beide erheblich unterschieden, waren die Benzinkosten.

Der Porsche dient als Statussymbol, das werden auch seine Besitzer nicht bestreiten. Helmut Zerlett, der Bandleader aus der Harald-Schmidt-Show bei Sat1, verriet auf seiner Internetseite, warum sich die Kosten rentieren. Er fühle sich jedes Mal wie ein König, wenn er in den Wagen steigt: »Es ist einfach unbezahlbar, was er für die Psyche tut – ich spare so viel an Psychiater-Kosten.« Der Neid und die Verachtung der Mitbürger ist ein beabsichtigter Nebeneffekt. So lange die andern auf Abstand bleiben, sehen sie nur den 300-PS-Schlitten, erfahren aber nichts über die geheimen Minderwertigkeitskom-

plexe seines Fahrers, die er mit seinem Straßenbomber über-
spielt.

Die ganz Reichen verlieben sich in andere Symbole. Was
bedeutet jemandem ein Porsche, der nicht einmal die Veränderung erkennen würde, die der Kauf auf seinem Konto bewirkt?
Er investiert in Gemälde, die nur ausgewählte Freunde zu seltenen Gelegenheiten zu sehen bekommen. Die übrige Zeit verschwinden sie hinter Panzertüren und Alarmanlagen. Oder er
stiftet gleich – wie einst Mäzenin Peggy Guggenheim – ein Museum, das seinen Namen trägt. Denken Sie an den Nobelpreis.
Der Einzige, den der Preis auf Dauer berühmt gemacht hat,
ist sein Stifter, der Dynamiterfinder Alfred Nobel. Microsoft-
Gründer Bill Gates ist nicht nur die Nummer eins unter den
Unternehmern. Er besitzt auch das teuerste Buch der Welt,
den »Codex Leicester« von Leonardo da Vinci. 1994 hat er
dafür 24 Millionen hingeblättert. Das Werk besteht aus nur 36
Seiten, die der Maler der Mona Lisa selbst zusammengestellt
hat. Sie enthalten seine Studien zum Wasser, zur Erde und zu
den Himmelskörpern. Es handelt sich um Leonardos einzige
Handschrift, die sich noch in Privatbesitz befindet. Natürlich
bewahrt Bill Gates sie nicht bei sich zu Hause auf. Er hat sie
dem Fogg-Museum der Harvard-Universität als Leihgabe ge-
stiftet, wo jeder Besucher den Namen des edlen Spenders lesen
kann.

Wenn Sie mehr an ihrem Inhalt als an dem Statussymbol
»Original« interessiert sind: Unter www.odranoel.de können
Sie sich Leonardos Werk in deutscher Sprache auf Ihren Com-
puter laden.

Warum Männer im mittleren Alter
noch so verdammt attraktiv sind

Im zweiten Kapitel erfuhren Sie, warum ältere Männer sich für jüngere Frauen interessieren: Mädchen mit dem höchsten reproduktiven Wert sind am attraktivsten. Doch es gehören immer zwei zu einer ungleichen Paarung. Warum erhören junge Frauen im Gegenzug ältere Männer? Warum nicht lieber gleichaltrige? Auch wenn Charlie Chaplin im Rentenalter noch Vaterfreuden entgegensah – auch bei Männern tickt nach dem 30. Geburtstag die biologische Uhr. Wissenschaftler der Johns-Hopkins-Universität in Baltimore wiesen nach, dass die genetische Qualität der Spermien mit den Jahren erheblich nachlässt. Was nicht nur geringere Fruchtbarkeit, sondern auch die Zeugung von Kindern mit angeborenen Fehlbildungen zur Folge hat.

Die Biologen wissen, dass der weibliche Blick im Tierreich den materiellen Ressourcen des Männchens gilt, nicht seinen Spermien. Ein Eisvogelmann legt für sein Weibchen lauter farbenfrohe Gegenstände aus. Beeren, Blätter, menschliche Abfälle – was er nur finden kann. Neugierig folgt sie der bunten Spur ihres Verehrers bis zu seinem Nest. Es genügt jedoch, dem Männchen die Signalspur zu stehlen, und das anfänglich interessierte Auge seiner Angebeteten wendet sich einem Rivalen zu. Beim Menschen sind materielle Ressourcen – soziale Position und Einkommen – vom Alter abhängig. Die jungen Jahre gehören der Ausbildung und schlechtbezahlten Handlangerjobs auf unteren Ebenen. Erst nach einer längeren Bewährungszeit entscheidet sich, wer zu den Aufsteigern gehört. Wer andere herumkommandieren und ein Spitzengehalt einstreichen darf. Ihr höchstes Einkommen erzielen Männer im Schnitt zwischen 35 und 55. Vorher liegt es ein Drittel niedriger. Danach sinkt es wieder, weil ein Teil sich pensionieren lässt. Andere haben eine Position erreicht, von der aus sie nicht

mehr weiter befördert werden. Nachrückende Jüngere über-
flügeln sie.

Das mittlere Alter eines Mannes ist daher ein weiteres
Statussymbol, vor allem wenn es mit anderen Zeichen von
Wohlstand zusammentrifft. Neulich las ich folgende typische
Heiratsannonce einer Frau Anfang 40: »Sportlicher, unterneh-
mungslustiger Mann mit solidem Einkommen gesucht, 45–59
Jahre, kein Opa-Typ!« Ginge es nach der Vernunft, müsste sie
einen Jüngeren heiraten, da sie statistisch eine höhere Lebenserwartung hat als er. Männer werden im Schnitt 75, Frauen
81 Jahre alt. Selbst wenn sie nur vier Jahre jünger ist als ihr
Gatte, wird sie laut statistischer Wahrscheinlichkeit ihr letztes
Lebensjahrzehnt als einsame Witwe zubringen. Dass Frauen
diese düstere Perspektive in Kauf nehmen beweist: Das Alter
an sich ist nicht der Grund für die ungleiche Paarung. Die Au-
torin Esther Vilar bemerkte: »Wenn junge Frauen sich wirklich
von alten Männern angezogen fühlten, müsste es doch zuwei-
len auch vorkommen, dass ein entzückendes Millionärstöch-
terchen, und sei es gegen den Willen der Eltern, einen armen
alten Rentner heiratet. Doch davon hat noch keiner gehört: Bei
solchen Leidenschaften ist immer entweder etwas Geld oder
viel Sozialprestige auf der Seite des Alten, und der Arme ist
stets der Junge.«

Das Dilemma: Erfolgreich – aber zu alt
zum Kinderzeugen

Einer Studentin, die unter ihren Kommilitonen keinen künftigen Sieger ausmachen konnte, bleibt die Möglichkeit, sich
unter ihren Hochschullehrern umzuschauen. Vielleicht hat sie
auch einfach keine Lust, mit einem Anfänger zehn Dürrejahre
durchzustehen, bevor er sich endlich Auto, Haus und Südsee-
urlaub für zwei leisten kann. Zwar ist es schwieriger, unter den

Etablierten die Angel auszuwerfen. Es gibt weniger Doktoren als Studenten, und von denen ist ein Teil verheiratet. Außerdem stellen sie höhere Ansprüche, da sie selbst mehr zu bieten haben als jemand, der sich noch in der Ausbildung befindet. Eines kommt der Studentin zugute: Die hohe Scheidungsquote – in Großstädten geht jede zweite Ehe wieder in die Brüche, meist schon nach wenigen Jahren – lässt die Zahl der verfügbaren Singles anwachsen.

Eine solche ungleiche Heirat bietet ihr zwar für künftige Kinder beste materielle Versorgung. Wenn er aber gar keine gesunden Kinder mehr zeugen kann? Erst in den letzten Jahren kam die raffinierte Strategie ans Licht, mit der das weibliche Geschlecht diesen Konflikt handhabt. Einerseits geben knapp 80 Prozent Frauen bei Befragungen an, sie wären mit ihrem Traummann verheiratet. Seine wichtigsten Eigenschaften: Er ist verständnisvoll, ein geduldiger Zuhörer und den Kindern ein guter Vater. Andererseits geht jede zweite wenigstens einmal während ihrer Ehe fremd. Trotz Traummann. Vor allem während ihrer fruchtbaren Tage fühlt sie sich von maskulinen Typen angezogen, von denen sie sich unter günstigen Umständen gern zu einem One-Night-Stand verführen lässt.

Britische Forscher erklärten den biologischen Sinn dieses Verhaltens. Diese Machos haben eine hohe Seitensprungquote. Was für die untreue Frau ein einmaliger Ausrutscher war, ist für ihn ein Hobby, dem er jeden Samstag nachgeht. Als Familienvater hat die Frau sich deshalb lieber einen netten Kerl gesucht. Der keine unangenehmen Fragen stellt, wenn sie ihm nach ihrem kleinen Abenteuer mitteilt, dass sie sich schwanger fühlt. Seit Gentests Vaterschaften zweifelsfrei nachweisen können, wissen wir, dass fast jedes zehnte Kind nicht von dem Manne stammt, der in seiner Geburtsurkunde als Vater eingetragen ist. Rechnet man ein, wie wenige Geschlechtsakte tatsächlich zu einer Schwangerschaft führen – selbst wenn sie um die Zeit des Eisprungs stattfinden –, kommt man auf eine enorme Seitensprungquote.

Statussymbol Arbeit

Befragt, was einen Mann attraktiv macht, antwortete die Leiterin einer Partnerschaftsagentur: »Ich sag mal so – Chirurgen gehen bei uns besser als Kfz-Mechaniker.« Warum sucht wohl ein Spitzenarzt eine Frau über eine Agentur? Weshalb umwirbt er keine Kollegin, Krankenschwester oder Patientin? Die Antwort liegt auf der Hand: Der Chirurg hat keine Zeit zum Turteln. Überstunden, 24-stündige Bereitschaftsdienste und Operieren bis zur Erschöpfung füllen seinen Alltag. Auf jede Frau, die so einen ehelicht, um ihre Einsamkeit zu beenden, wartet eine schwere Enttäuschung. Der Mann ist längst verheiratet – mit seiner Klinik. Bis auf seltene Augenblicke wird sie auch nach der Hochzeit weiter allein leben.

Ein ordentlich bezahlter, sicherer Arbeitsplatz ist eines der wichtigsten Statussymbole unserer Zeit geworden. »Und was machen Sie beruflich?«, lautet die Frage, die zwei Fremde, die sich irgendwo begegnen, einander als Erstes stellen. Es ist nach dem Aussehen die wichtigste Information, um einen Unbekannten einzuschätzen. Ein guter Job ist mehr als eine Einkommensquelle. Wer einen Beruf ausübt, bei dessen Nennung jeder anerkennend nickt, braucht sein Leben nicht weiter zu rechtfertigen. Er gehört zum Establishment. Er ist kein Schmarotzer, er trägt seinen Teil zum allgemeinen Wohlstand bei. Er zahlt Steuern, er lebt nicht auf Kosten anderer, er ist ein nützliches Glied der Gesellschaft.

Wer arbeitslos wird, verliert nicht nur Geld. Er fällt aus dem Netzwerk beruflicher Kontakte heraus. Bis eben hatte er Kollegen. Jetzt sitzt er neben einer Schar anonymer Schicksalsgenossen in den Fluren eines Amtes, das darüber entscheidet, ob er einen Anspruch hat, fürs Nichtstun Geld zu kassieren. Er mag sich noch so oft sagen, dass er an der Wirtschaftsflaute keine Schuld hat und schließlich jahrelang in die Arbeitslosenversicherung eingezahlt hat – insgeheim zweifelt er an sich. Wieso sitze ich hier und meine Kollegen haben noch Arbeit?

An Langzeitarbeitslosen haftet nicht nur der Makel jahrelanger Beschäftigungslosigkeit. Wer so lange Zeit wie ein Versager behandelt wurde, fühlt sich am Ende als einer. Er verinnerlicht das unausgesprochene Urteil seiner Umwelt. Er rutscht auf die unterste Stufe der gesellschaftlichen Hierarchie. Das ist keine böse Absicht seiner Mitmenschen. Unser Gemeinwesen ist bloß so organisiert, dass es Menschen nach ihrem Beruf einstuft. Chefs stehen höher als Angestellte, und die überragen Lehrlinge und Neulinge im Probejahr. Ärzte kommen als Götter in Weiß vor Automechanikern und die vor Zeitungsausträgern und Pizzaboten. Wer in dieser Werteskala weiter vorn erscheint, hat den höheren Status inne. Das zeigt sich in seiner Selbsteinschätzung und in der Art, wie seine Mitmenschen ihn respektieren.

Zahlreiche Studien belegen diesen Zusammenhang. Gute Unternehmer zeichnen sich durch fünf Charaktereigenschaften aus. Sie sind offen, akkurat, emotional stabil, neugierig und kreativ. Das entdeckten Wissenschaftler der Universität Jena. Anders ausgedrückt – wer sich an der Spitze befindet, tritt selbstsicher und offensiv auf. Er weiß, ihm gehört die Welt. Die Kehrseite: Führungskräfte neigen zur Selbstüberschätzung. Ihre Fähigkeit, warnende Signale wahrzunehmen, verkümmert. Deswegen merken sie es zu spät, wenn sie sich verrennen und ihre Firma durch falsche Entscheidungen gegen die Wand fahren. Londoner Forscher bemerkten zudem, dass sie noch größere Schwierigkeiten als Ärzte haben, Familie und Beruf zu managen. Zumindest einen der beiden Bereiche vernachlässigen sie, meist das Privatleben. Mit recht merkwürdigen Folgen. Entwickelt er sich zum Workaholic, findet die

Gattin Trost in Kauforgien. Ihre Kaufsucht zwingt ihn dann, noch mehr zu schuften, um jenes Geld zu verdienen, das sie mit vollen Händen zum Fenster hinauswirft, um sich über seine viele Arbeit hinwegzutrösten. Einer derartigen Ehekonstellation begegnen wir bei den oberen Zehntausend sehr viel häufiger als in der übrigen Bevölkerung.

Eine Frau, die mit einem Workaholic verheiratet ist – worüber beklagt sie sich? Einst imponierte ihr seine Tüchtigkeit. Er hatte sich das Rackern angewöhnt, weil tüchtige Männer Frauen beeindrucken. Sie ist darauf hereingefallen. Sein Erfolg bei ihr bestärkte ihn in seiner Arbeitssucht. Sicher, auch er wünscht sich mehr Zeit für die Familie. Aber wenn er auf Überstunden verzichtet und bei der nächsten Beförderungsrunde übergangen wird ... Ob sie ihn immer noch bewundern würde, wenn sein Kollege in die nächste Gehaltsklasse springt und er nicht?

Statussymbol Zeit

Porsche-Chef Wendelin Wiedeking hat alles erreicht. Er ist nicht nur einer der erfolgreichsten, sondern auch einer der beliebtesten Manager Deutschlands. Sein Jahresgehalt liegt bei neun Millionen Euro. Kann sich so ein Mann noch etwas wünschen? Auf diese Frage antwortete er im Interview: »Zeit.«

Wir leben in einer durchorganisierten Gesellschaft. Auch in der Freizeit. Wer aus seinem Betrieb heimfährt und sich einfach vor den Fernseher fallen lässt, wird als lascher Couch-Potatoe belächelt. Jetzt gilt es, die Laufschuhe anzuziehen und im Park seine Runden zu drehen, überwacht von einer Pulsuhr. Die Sauna, der Sprachkurs an der Volkshochschule, die Hobbygruppe, das Theaterabonnement und ein Dutzend weiterer Termine lassen wenig Raum, um einfach nur die Seele baumeln zu lassen. Und wenn tatsächlich mal eine halbe Stunde nichts zu tun ist, meldet sich sofort das schlechte Gewissen. Habe ich nicht irgendetwas vergessen? Könnte ich jetzt nicht Dinge erledigen, die mir später mehr Luft verschaffen? Schon sprechen Experten vom »Freizeitstress« als dem verlängerten Arm der Arbeitswelt.

Kurse und Bücher über Zeitmanagement sind beliebt. Doch was machen wir mit den Stunden, die wir durch effektive Organisation herausschinden? Wir füllen sie mit neuen Aufgaben. Wir laden uns weitere Verpflichtungen auf. Keiner möchte in einem armen Land wir Mexiko oder Indien leben. Aber heimlich beneiden wir diese Kulturen um ihre lässige Ruhe. Da wohnen Menschen, die sich nicht nach der Uhr richten, ja, die nicht einmal eine Uhr besitzen! US-Zeitforscher Robert Levine fragte Brasilianer, wie lange sie bei der Geburtstagsfeier eines Neffen auf einen verspäteten Gast warten würden. Sie erklärten, im Schnitt wären sie bereit, etwas mehr als zwei Stunden zu warten. In seinem amerikanischen Freundeskreis, meinte Levine, würden solche Feiern überhaupt nur zwei Stunden dauern.

Ein Kompromiss, um sich Luft zu verschaffen, wären Teilzeitjobs. Aber die gibt es nur am unteren Ende der Hierarchie reichlich, bei Putzfrauen, Verkäuferinnen und Babysittern. Fast sechs Millionen Frauen, aber weniger als eine Million Männer arbeiten verkürzt. Viele von ihnen nur notgedrungen, weil ein Vollzeitjob nicht zu haben war. Noch prägen bei uns die Arbeitenden die Norm. Doch das kann sich bald ändern, wenn die Menge der Rentner und Arbeitslosen weiter wächst. Die Wirtschaft ist gerade dabei, diese lukrative Zielgruppe zu erschließen. Wer konsumieren will, braucht Zeit. Spitzenverdiener wie der Porsche-Chef haben zwar viel Geld auf ihrem Privatkonto, aber keine freie Minute, um es auszugeben. Noch reden die Politiker den Arbeitslosen ein, sie seien Schmarotzer und Faulenzer. Doch je weniger Arbeitslose Chancen auf eine Rückkehr in ein geregeltes Berufsleben erkennen, desto unglaubwürdiger wird die Story von der Arbeit für alle. Unternehmer, die sich auf preiswerte Freizeitangebote spezialisieren, die auch Rentner und andere Nichtarbeiter bezahlen können, sehen goldenen Zeiten entgegen.

Vielleicht bewundern die Frauen eines Tages nicht mehr den Workaholic, der sich den lieben langen Tag in einer Routinemühle dreht, sondern den Zeitmillionär, der eine siebenstellige Zahl von Minuten auf seinem Lebenskonto verbucht, in denen er nichts weiter zu tun hat als sein Dasein zu genießen und für seine Familie da zu sein.

Warum ein tolles Image
schneller zum Durchbruch verhilft
als Fleiß und Konzentration

Jeder Mensch gilt in dieser Welt nur so viel,
als wozu er sich selbst macht.

Adolph Freiherr von Knigge

Was geschähe, wenn Ideal und Wirklichkeit ihre Plätze tauschten? Diesen Wunschtraum erzählte Oscar Wilde 1890 in seinem einzigen Roman. Der attraktive Dorian Gray steht vor seinem gemalten Porträt und ruft: »Wenn ich es sein könnte, der ewig jung bliebe, und das Bild müsste altern! ... Meine Seele würde ich dafür geben!«

Der unfromme Wunsch wird wahr. Die Spuren seines ausschweifenden Lebens verwandeln sein Abbild nach und nach in eine scheußliche Fratze, während sein Gesicht jung und schön bleibt. Immer wieder schlüpft er ungestraft durch die Maschen des Gesetzes, weil sein argloses Antlitz Verfolger und Opfer täuscht. Doch die Angst, jemand könne das gealterte Gemälde entdecken, lässt ihn nicht los. Sein Versuch, das Bild zu zerstören, ermordet ihn selbst. Ein Diener findet den Toten grässlich entstellt und gealtert, während das Porträt ihn wieder in seiner jugendlichen Unschuld zeigt, so wie ihn alle kannten.

Wenn das Image den Menschen ersetzt

Eine solche Vertauschung von Abbild und Original gibt es tatsächlich. Film und Fernsehen machen sie möglich. Von Greta Garbo bis Jennifer Lopez, von Charlie Chaplin bis Robbie

Williams – was Millionen von Fans verehren und in jeder Lebensäußerung mit bangem Herzklopfen begleiten, ist nicht das echte Individuum. Sondern ein Kunstprodukt, das Image – zu deutsch »Bild«. Sie betrachten es auf dem Bildschirm und lesen seine Selbstdarstellung in Interviews. Aber die wenigsten standen je dem Original leibhaftig gegenüber, und keiner in Abwesenheit von Kameras. Die wichtigste Rolle, die ein Star wie Gérard Depardieu spielt, ist nicht der langnasige Cyrano von Bergerac oder der dicke Obelix, sondern »Gérard Depardieu«. Er spielt sich selbst, einen schauspielernden Genießer mit eigenem Weingut an der Loire und Restaurant in Paris, der von sich behauptet: »Ich liebe gutes Essen, guten Wein und schöne Frauen.« Kann er allen drei Vorlieben frönen, ohne seine langjährige Freundin Carole Bouquet eifersüchtig zu machen? Ohne seine Karriere zu vernachlässigen? Wir wissen es nicht. Dazu müssten wir den originalen Depardieu kennen lernen und nicht nur sein Image.

Ein Teil der Fans hat Schwierigkeiten, den Menschen und seine Rolle zu unterscheiden. Schauspieler, die Bösewichter spielen, erhalten regelmäßig Drohbriefe mit der Aufforderung, endlich die Finger von dem guten Helden zu lassen, sonst … Wagen sie sich ohne Leibwächter nach draußen, müssen sie damit rechnen, von erbosten Filmfans attackiert zu werden. Aber selbst wer zwischen dem Star und seiner Rolle trennen kann, findet den Darsteller des James Bond sympathischer als die Männer, die seine Gegner verkörpern.

Woher kommt die Macht des Images? Warum sind wir so leicht bereit, ein Bild, das Manager und Berater ihrem Star auf den Leib geschneidert haben, für wirklicher zu halten als die Wirklichkeit selbst?

Das Sein ist das Design

Zwei Priester – der eine ein leidenschaftlicher Raucher, während der andere Tabakqualm verabscheut – geraten in einen Streit, ob es gestattet sei, beim Beten zu rauchen. Der erste meint ja, der zweite nein. Da sie sich nicht einigen können, beschließen sie, jeder für sich an den Papst zu schreiben. Als die Antworten eintreffen, stellen sie erstaunt fest, dass der heilige Vater beide in ihrer jeweiligen Meinung bestätigt hat.

»Was hast du ihm denn geschrieben?«, fragt der Erste.

»Ich fragte ihn, ob es erlaubt sei, beim Beten zu rauchen. Er antwortete, es sei nicht erlaubt, da Beten eine ernsthafte Angelegenheit sei, die keine Ablenkung durch weltliche Genüsse vertrage. Und du?«

»Ich fragte ihn, ob es erlaubt sei, beim Rauchen zu beten. Er antwortete, es sei immer gut zu beten und auch während der weltlichen Genüsse das Heil der Seele nicht zu vergessen.«

Diese kleine Fabel, die dem amerikanischen Psychologen Gordon Allport zugeschrieben wird, illustriert, wie sehr der Inhalt einer Botschaft von ihrer Verpackung abhängt. Wir sind darauf programmiert, angenehme Reize zu suchen und vor unangenehmen auszuweichen. Als Kleinkind suchten wir die Wärme und die Nahrung der mütterlichen Brust und lernten die Herdplatte zu meiden, nachdem wir uns einmal die Hand verbrannt hatten. Sobald wir sprechen konnten, weiteten wir dieses Auswahlprinzip auf Worte aus. Wer uns mit Komplimenten überschüttet, ist uns lieber als kleinliche Mäkeltanten. Theoretisch wissen wir alle, wie nützlich heilsame Kritik sein kann. Aber praktisch fällt es sogar bei lieben Freunden schwer, für schonungslose Offenheit dankbar zu sein.

Das wissen auch Werbefachleute. Sie geben Millionen aus, um unsere liebsten Vorurteile zu erforschen und sie mit ihren Slogans zu bestätigen. Eine Ölfirma, die von sich behauptet, einen schmierig-stinkenden Brennstoff aus urzeitlichen Pflanzen- und Tierkadavern teuer unters Volk zu bringen, sagt zwar die Wahrheit. Sie wird aber auf ihrem Benzin sitzen bleiben, wenn die Konkurrenz ihre Kunden auffordert: »Pack den Tiger in den Tank!«

Das Prinzip der Informationsökonomie

Unser Gehirn besteht aus 100 Milliarden Nervenzellen. Zusätzlich sorgen 120 Millionen Stäbchen und sechs Millionen Zapfen in der Netzhaut des Auges, zehn Millionen Riechzellen in der Nase, 10 000 Geschmackspapillen auf der Zunge und etwa 1700 Haarzellen in den Ohren dafür, dass wir Stunde um Stunde mit Hunderttausenden von Sinneseindrücken bombardiert werden. Müssten wir sie alle bewusst wahrnehmen – nach wenigen Minuten wären wir hoffnungslos überfordert. Wir würden den Verstand verlieren.

Zum Glück gibt es einen Engpass: Die Reizleitung von außen in die Tiefen des Bewusstseins. Wie viele Signale auch gleichzeitig auf uns einstürmen mögen – der Kopf kann pro Sekunde nur etwa sieben eigenständige Informationen entgegennehmen. Das fand der US-Psychologe George Miller vor 50 Jahren heraus. Alles, was diese Menge überschreitet, rauscht ungehört und ungesehen an Ohren und Augen vorbei, verloren auf Nimmerwiedersehen. Das Gehirn ist daher zu über 99 Prozent mit sich selbst beschäftigt. Es vergleicht die wenigen aus der Umwelt entnommenen Daten mit Erinnerungen, bewertet sie mit Gefühlen, ordnet sie in frühere Erfahrung ein und trifft Entscheidungen, was es davon aufbewahrt, was es gleich wieder vergisst und wie es Arme und Beine antworten lassen will.

Seine große Leistung besteht daher nicht im Empfang von Sinnesdaten. Adler sehen, Hunde riechen und Fledermäuse hören mehr als wir. Doch in der Fähigkeit, aus spärlichen Informationen das Maximale herauszulesen, sind wir Menschen einsame Spitze. Wir entdecken in den Sinnesdaten mehr als in Wahrheit drin steckt. Wir füllen die Lücken mit früher empfangenen Informationen aus dem Gedächtnis. So sehen wir ein vollständiges Bild von der Umgebung, obwohl wir nur einzelne Punkte registrierten. Wie weit diese Fähigkeit reicht, zeigt ein klassisches Experiment, das wegen seiner Einfachheit auch öfter im Fernsehen ausgestrahlt wird.

In einem stark frequentierten Geschäft (Zeitungskiosk, Tankstelle, Fast-Food-Lokal) lässt eine Verkäuferin, die eine Uniform ihrer Ladenkette trägt, »versehentlich« das Wechselgeld fallen. Sie bückt sich unter den Ladentisch. In dem Moment, wo sie aus dem Blickfeld des Kunden verschwindet, findet ein Austausch statt. Sie bleibt unten, während ein männlicher Verkäufer in der gleichen Uniform, der unten gewartet hat, auftaucht und das Wechselgeld herausgibt.

Zur Überraschung von TV-Moderator und Zuschauern bemerkten viele Kunden den Austausch der Verkäuferin nicht. Sie nahmen die herausgegebenen Münzen ohne jedes Anzeichen von Verwunderung entgegen. Unaufmerksamkeit? Durchaus nicht. Tanken, Zigaretten oder Zeitung kaufen sind Routinevorgänge, die wir im Vorbeigehen erledigen. Den Verkäufer nimmt der Kunde nur in seiner Rolle wahr. Natürlich weiß er irgendwie, dass in jeder Uniform eine Persönlichkeit mit einer individuellen Biographie und einzigartigen Hoffnungen und Enttäuschungen steckt. Aber in diesem Moment verschwendet er keinen Gedanken daran. Er befindet sich in Gedanken schon bei seinem nächsten Termin und hat es eilig. Seine Augen registrieren: Steht hinter dem Ladentisch, trägt bunte Kleidung, tippt auf die Kasse und fragt: »Darf es noch etwas sein?« Das sind vier Informationen, die seine Erwartungen bestätigen. Bleiben in dieser Sekunde noch drei Informationen frei für seine eigenen Handlungen mit Ware und Portemonnaie. Fragt man den Kunden fünf Minuten später, ob der

Verkäufer männlich oder weiblich, jung oder alt, blond oder dunkel war, kann er sich entweder nicht erinnern, oder er gibt im Gegenteil eine sehr präzise, aber falsche Antwort, indem er aus seinem Gedächtnis einen Phantasieverkäufer konstruiert.

Genauso entsteht ein Image. Wenige geschickt platzierte Reize genügen, und in unserem Kopf formt sich eine vollständige Figur, mit der wir leiden und hoffen. Ohne zu erkennen, dass es unsere eigenen Leiden und Hoffnungen sind, die wir in sie hineinprojizieren. Sie können das selbst überprüfen, wenn Sie das nächste Mal das Interview eines Stars lesen. Lassen Sie es eine Weile wirken und lesen Sie es noch einmal. Vergleichen Sie nun Ihre Assoziationen mit dem wenigen, was da wirklich steht. Nehmen Sie zum Beispiel den ehemaligen Take-That-Sänger Robbie Williams, der seit einigen Jahren eine erfolgreiche Solokarriere hinlegt. Wenn Sie von ihm nichts weiter kennen als einige Songs mit den dazugehörigen Videos und nun lesen, er leide unter depressiven Anfällen und denke daran aufzuhören – steigen da nicht Bilder eines früh durch den Erfolg verwöhnten Teenagers auf, von Einsamkeit an der Spitze, von Misstrauen gegen falsche Freunde, die ihn ausnutzen, von kreischenden Mädchen, die nur sein Äußeres und seinen Erfolg anbeten, während der sensible Künstler sich nach Verständnis sehnt, nach einer verwandten Seele, bei der er auch mal schwach sein und versagen darf? Zwar steht nichts davon in dem Interview. Aber die Verbindung Erfolg–Depression genügt, um all diese Assoziationen zu wecken, die wir aus Spielfilmen und Biographien anderer Künstler kennen.

Der Nimbus-Effekt

Je mehr die Reizflut zunimmt, desto stärker wächst die Tendenz, von einer einzelnen Eigenschaft auf das Ganze zu schließen. Die Psychologie spricht vom Nimbus-Effekt. Nimbus steht lateinisch für Heiligenschein. Die Gloriole über dem Haupte genügte einst, um die von Gott Auserwählten von der Masse zu unterscheiden. In der bunten Warenwelt ist es heute der Name der Marke, der alle anderen Produktmerkmale überstrahlt. Zur Verzweiflung der Eltern, wenn ihre Kinder nur Schuhe einer bestimmten teuren Firma tragen wollen. Zur Freude von Händlern fernöstlicher Billigprodukte, die ihnen teure Namen aufkleben und sich so einen Extraprofit sichern.

Markenpiraterie lohnt sich nur, weil Werbestrategen so überaus erfolgreich sind, die nicht auf die Qualität des Produkts, sondern auf das Image seines Namens setzen. Ob Waschmittel oder Joggingschuhe – die Unterschiede innerhalb einer Warensorte sind minimal. Der eine Schuh dämpft besser den Aufprall der Ferse, der andere hat eine bessere Fußführung, der dritte bietet das schickere Design, der vierte hat von allem ein bisschen und kostet zehn Euro weniger. Alle großen Sporthersteller verfügen über das gleiche technische Wissen. Wollte einer von ihnen die Kunden überzeugen, seine Schuhe wären wesentlich besser als die der Konkurrenz, wäre er nicht nur unglaubwürdig. Er müsste auch mit komplizierten Fachbegriffen argumentieren. Der Freizeitsportler, der das hört, sagt sich: »Wenn ich erst ein halbes Ingenieurstudium absolvieren muss, um diesen Schuh zu verstehen ... da nehme ich doch lieber was Simples von einer anderen Firma.«

Aber es gibt ja den Nimbus-Effekt! Klar, der Jogger will eine gute Dämpfung, um seine Knochen zu schonen. Aber warum will er das? Weil er läuft, um sich gesund, fit und stark zu fühlen. Verkaufen wir ihm dieses Gefühl! Mit diesen Überlegungen – gestützt auf zahlreiche Studien über menschliche Motivation – wechselten die Werbeexperten vom Produkt zum Markennamen. Ist die Marke bekannt und beliebt, verkaufen sich auch ihre Erzeugnisse. Damit die Marke den Nimbus bekommt, der als Heiligenschein über den Waren schwebt, muss der Klang ihres Namens positive Gefühle wecken. Einer erfolgreichen Werbung gelingt dieser Spagat. Das heißt, wir erwerben in erster Linie nicht

- Möbel, sondern Gemütlichkeit,
- Shampoo, sondern Schönheit,
- Autos, sondern Kraft und Erfolg,
- Lotterielose, sondern die Hoffnung, ein Gewinner zu sein,
- Nahrung, sondern Gesundheit.

Die Marke weckt menschliche Gefühle. Wenn die Werbestrategen es schaffen, diese Verwandlung mit leblosen Produkten zustande zu bringen, um wie viel leichter muss sie dann bei Menschen fallen! Ob es sich um das Image einer Marke oder eines Prominenten handelt – in beiden Fällen geht es um starke Emotionen.

Der Schritt aus der Anonymität ins Rampenlicht

Entdeckungen, die unser Leben umwälzen, produzieren Wissenschaftler meist in aller Stille. Wer kennt schon die Ingenieure, die uns das Handy oder den DVD-Player beschert haben! Selbst wenn sie den Nobelpreis erhielten, wie der Erfinder der Computertomographie, reicht ihr Ruhm kaum über den Kollegenkreis hinaus. Aber es gibt Ausnahmen. Eine solche war in den siebziger Jahren der Franzose Jacques Monod. Er entdeckte gemeinsam mit seinem Kollegen François Jacob ein wichtiges Regulator-Gen. Das ist ein Gen, das keine körperliche Eigenschaft verschlüsselt, sondern das Ablesen der Erbinformation regelt. Eine Entdeckung, ohne die es die Gentechnik nicht gäbe. Beide erhielten 1965 den Nobelpreis. Aber nicht diese Leistung machte Monod berühmt. Sondern ein schmales Büchlein, erschienen 1971, mit dem Titel »Zufall und Notwendigkeit«, das mit seiner Forschung nur wenig zu tun hatte. Darin behauptete er, in der Welt gäbe es nichts als Zufall. Auch das Leben auf der Erde sei ein einmaliger, unwiederholbarer Zufall, und deshalb wären wir die einzige intelligente Lebensform im gesamten Universum.

Das Buch schlug ein wie eine Bombe. Zwei Jahre waren vergangen, seit der erste Mensch den Mond betreten hatte. Jedermann rechnete damit, dass bald der Mars und andere Planeten folgen würden. Erich von Däniken veröffentlichte einen Bestseller nach dem anderen, in denen er behauptete, Spuren außerirdischer Besucher auf der Erde gefunden zu haben. Kaum ein Monat verging, ohne dass amerikanische Zeitungen über UFOs am heimatlichen Firmament berichteten. Die Hoffnung auf außerirdisches Leben prägte nicht nur die Science-Fiction dieser Jahre, sondern auch die Weltraumprogramme der NASA und ihrer russischen Rivalen. Und da meinte ein seriöser Forscher allen Ernstes, das wäre alles rausgeschmissenes Geld. Der Name Monod war auf einmal in aller Munde. Jeder, der etwas von der Materie verstand – Journalisten, Philosophen, Naturwissenschaftler –, hielt sich für verpflichtet, Monod zu widerlegen. Es ist ihnen bis heute nicht gelungen.

Als die NASA die Mondflüge einstellte und die Kosmoseuphorie verflog, kam auch Monod aus der Mode. Doch noch heute ist er wesentlich bekannter als sein Mitstreiter Jacob, der ebenfalls populäre Bücher geschrieben hat. Aber er erzählte nur über die Probleme seines Faches und verzichtete darauf, provokante Behauptungen aufzustellen.

Niemand weiß, ob Monod die Absicht hatte, sich das Image eines Querdenkers und Nestbeschmutzers zuzulegen. Da er 1976 gestorben war, können wir ihn nicht mehr fragen. Ob beabsichtigt oder nicht – er hatte alle Prinzipien verwirklicht, die auch heute noch Imageberater einsetzen, um aus einem Unbekannten einen Star zu machen.

Glaubhaft anders

Stars sind Menschen wie du und ich. Mit einer Ausnahme. In einem wichtigen Punkt heben sie sich aus der Masse heraus, fallen durch außergewöhnliche Leistungen auf. Das Image folgt den gleichen Prinzipien wie die Schönheit: Mittelmaß plus eine entscheidende, positive Abweichung. Wer sich nur durchschnittlich verhält, von dem nimmt die Öffentlichkeit keine Notiz. Wer nur abweichend handelt – zum Beispiel ein Gewaltverbrecher –, gelangt vielleicht für ein, zwei Tage in die Schlagzeilen. Seine restlichen Tage vegetiert er jedoch vergessen in einem Hochsicherheitstrakt oder in der Psychiatrie dahin.

Extrem sein genügt nicht. Daraus wird nur eine Eintagsfliege. Eine Kuriosität, die am nächsten Tag neuen Kuriositäten Platz macht. Das Publikum braucht die Möglichkeit, sich mit dem Star zu identifizieren. Es muss sich in ihm wiedererkennen. Daher ist der Medienheld außergewöhnlich, aber zugleich ein Mensch, der wie jeder andere Hoffnungen und Enttäuschungen, hochfliegende Träume und die Plackerei des Alltags erlebt hat. Er hat gescheiterte Beziehungen, berufliche Durststrecken und Phasen des Selbstzweifels hinter sich. Aber am Ende ist er über sich hinausgewachsen, und sein überragendes Talent hat triumphiert.

Das Image liefert eine glaubhafte Mischung aus Gewöhnlichem und Erstaunlichem. Unerreichbar und doch so nah! Wir können mit ihm bangen und hoffen und es zugleich aus der Ferne bewundern. Um ein Image zu schaffen, genügt manchmal ein einziger Satz, den Reporter noch nach Jahren zitieren. John F. Kennedy erklärte sich 1963 an der Berliner Mauer nicht einfach solidarisch mit der eingeschlossenen Bevölkerung Westberlins. Das hatten schon viele Politiker vor ihm getan. Nein, er sagte auf Deutsch: »Ich bin ein Berliner.« Ich bin nicht einfach ein Fremder, der euch von Ferne bedauert, sondern ich bin einer von euch. Eigentlich sagte er nur, was alle westlichen Politiker in diesen Jahren sagten. Aber er sagte es glaubhaft anders.

Die gleiche Berühmtheit erlangte Neil Armstrong, als er den Mond betrat, mit dem Satz: »Das ist ein kleiner Schritt für einen Menschen, ein Riesensprung für die Menschheit.« Was ich hier tue, ist nicht nur für wenige Spezialisten der Astrophysik von Bedeutung. Im Gegenteil, liebe Fernsehzuschauer, die ihr gerade meine ersten Schritte auf unserem Trabanten verfolgt, es ist für euch bedeutender als für mich. Noch heute streiten die Experten, ob Armstrong diesen Satz spontan sagte oder ob es sich um eine sorgfältig vorbereitete Imageaktion handelte. Ein derartig genialer Einfall genau im richtigen Moment – dafür würden Werbebüros Millionen hinblättern! Kann so etwas einem Astronauten, der ja kein Werbeexperte ist, ohne längeres Nachdenken einfach so über die Lippen kommen?

Die meisten Imagekampagnen sind in der Tat sorgfältig geplant. Eines der ältesten und erfolgreichsten Beispiele lieferte Goethe. 1792, drei Jahre nach Beginn der Französischen Revolution, stellten deutsche Fürsten eine Invasionsarmee auf, um nach Paris zu marschieren und die Monarchie wieder herzustellen. Auf den Hügeln von Valmy, einem Dorf nahe Verdun, fügten französische Revolutionstruppen den Invasoren eine überraschende Niederlage zu. Goethe beobachtete die Schlacht auf Seiten der Preußen und soll während der Kanonade ausgerufen haben: »Von hier und heute geht eine neue Epoche der Weltgeschichte aus, und ihr könnt sagen, ihr seid dabei gewesen.«

Hatte unser Nationaldichter schon 1792 erkannt, dass die Rebellion der Franzosen das Antlitz Europas verändern würde? Als das Schicksal der Französischen Revolution noch völlig ungewiss war? Als Napoleon noch als unbekannter Leutnant diente? Dieser Satz trägt bis heute zu Goethes Image bei, ein herausragendes Genie gewesen zu sein, das weiter blickte als alle seine Zeitgenossen. Die Sache hat nur einen Haken. Die Behauptung, er habe diesen Satz gesagt, stammt von Goethe selbst. Und zwar aus dem Jahre 1822! Dreißig Jahre nach dem Ereignis hat er ihn in seinem Buch »Kampagne in Frankreich« veröffentlicht. Da erst erfuhr die staunende Nachwelt von Goethes jugendlichem Geistesblitz.

Unique Selling Proposition

Wer wäre nicht bereit, ein bescheidenes Genie wegen seiner Bescheidenheit zu bewundern? Freilich müssten wir erst von ihm erfahren. Daher poltern fast alle Berühmtheiten vorlaut und felsenfest von sich überzeugt durch die Medien. Fleißige und begabte Leute gibt es viele. Nur wenige fallen dem Publikum auf. Nicht weil sie besser wären. Seien wir ehrlich, die wenigsten von uns können objektiv beurteilen, wer von zwei konkurrierenden Talenten mehr auf der Pfanne hat. Wir schauen auf die Art, wie er sich präsentiert. Werbeexperten nennen die Eigenschaft, die einen Star glaubhaft anders macht, Unique Selling Proposition (USP), zu Deutsch »Einzigartiges Verkaufsversprechen«. Kann ein Talent eine Eigenschaft in die Waagschale werfen, die es aus der Masse heraushebt?

Sharon Stone hatte bis Anfang der neunziger Jahre schon in einigen Hollywoodstreifen mitgespielt, unter anderem in »Total Recall« mit Arnold Schwarzenegger. Dennoch, sie konnte durch die Straßen spazieren und niemand erkannte sie. Sie zog sich nun für den *Playboy* aus – sie posierte für künstlerisch angehauchte Schwarzweißfotos – und erhielt bald darauf die weibliche Hauptrolle in »Basic Instinct«. Die Szene, in der sie ohne Höschen die verhörenden Polizisten irritierte, erlangte Weltberühmtheit. Ihre USP war mehr als nackte Haut. Die hatten auch andere zu bieten. Es war ihre Art, sie zu zeigen. Auf männliche Weise ungeniert, aggressiv und intelligent. Ihre Botschaft lautete: Wenn eine Frau heute ihre Sexualität zur Schau stellt, ist sie kein billiges Flittchen mehr, sondern verdammt clever. Genau spiegelbildlich verhielt sich George Clooney knapp zehn Jahre später in »Solaris«, wo er sein nacktes Hinterteil präsentierte. In einer Art, wie es in Hollywoodfilmen sonst nur die Frauen tun.

Erinnern Sie sich an Jacques Monod aus dem vorigen Kapitel? Die Behauptung, das Leben beruhe auf einem einmaligen Zufall, war seine USP. In Kreisen von Forschern, deren Lebenssinn darin besteht, wiederholbare Regelmäßigkeiten aufzuspüren, von provokanter Originalität. Viel gelesene Schriftsteller bieten entweder einen eigenwilligen Stil, einzigartige Charaktere oder ein Milieu, das sie besser beschreiben können als ihre Kollegen. Der Weg zur gelungenen USP führt immer über zwei Fragen: Was kann ich besser als andere? Welche Nische wurde in dem Feld meiner persönlichen Stärken noch von keinem anderen besetzt? Laut amerikanischen Management-Forschern entscheiden drei Prozent Vorsprung über Sieg und Niederlage. Je schärfer es gelingt, sein Spezialgebiet von anderen abzugrenzen, umso weniger Konkurrenten sind zu übertrumpfen.

Die AIDA-Formel

Nehmen wir an, die USP steht fest. Ein künftiger Star hat sein persönliches Profil gefunden. Noch kennt ihn aber kein Mensch. Wie schafft er den Sprung in die Öffentlichkeit? Dafür hat die Werbewirtschaft schon vor langer Zeit eine einprägsame Formel entwickelt. Jeder der vier Buchstaben der berühmtesten Verdi-Oper AIDA steht für einen Schritt auf dem Weg nach oben.

Attention (Aufmerksamkeit): Zunächst gilt es, sich in der

Flut täglicher Informationen überhaupt bemerkbar zu m
chen. Nehmen Sie etwa die Werbeunterbrechung im Priva.
fernsehen. Wenn Sie nicht ohnehin wegzappen – bei wie vielen
Details eines Werbeblocks schauen Sie hin? Vor ähnlichen Problemen steht, wer einen Spielfilm in die Kinos oder einen neuen
Roman in die Buchhandlungen bringt. Es ist kein Wunder, dass
viele Bestseller von Prominenten stammen, die sie nicht einmal
selbst geschrieben haben. Der bekannte Name auf dem Cover
sichert dem Buch die notwendige Aufmerksamkeit, um in der
Flut der Neuerscheinungen die erste Hürde zu nehmen – das
Auge der Käufer einzufangen.

Interest (Interesse): Aufmerksamkeit ist ein flüchtiges Gut.
Kaum gewonnen, wendet sie sich schon einem neuen Reiz zu.
Die Unternehmen geben Millionen aus, um die Zuschauer zu
fesseln. Ein beliebter Spruch der Werbeprofis lautet: »Natürlich wissen wir, dass die Hälfte unseres Budgets rausgeschmissenes Geld ist. Wir wissen nur nicht, welche Hälfte.« Sie haben
zahlreiche Studien durchgeführt, um das Geheimnis ein Stück
weit zu lüften. Heute wissen wir: Neugier und Interesse weckt,
was

- neuartig, sensationell und exotisch ist,
- von Veränderungen berichtet oder sie ankündigt,
- unerwartete Entwicklungen beschreibt,
- nur unter Schwierigkeiten in Erfahrung zu bringen ist,
- Wut, Freude, Mitleid und andere Gefühle weckt,
- persönliche Auswirkungen auf das Leben der Zuhörer hat.

Desire (Begehren): Ist das Interesse so groß, dass die Leute
das Produkt kaufen wollen? Das Begehren erwacht nur, wenn
der Kunde einen Gewinn für sich erwartet. Also Unterhaltung,
Belehrung, Geldersparnis, Gesundheit, Abenteuer, Leidenschaften, Begeisterung oder auch nur der Eindruck, auf dem
Bildschirm eine verwandte Seele zu entdecken, mit der er sich
identifizieren kann.

Action (Handlung): Ist das Begehren so groß, dass die

Kunden Zeit und Geld dafür aufwenden? Jeder, der täglich den Werbemüll seines Briefkastens entsorgt, weiß, wie selten ihn eines der verlockenden Angebote tatsächlich zum Kauf verleitet. Selbst die großen Stars der Showbranche sind froh, wenn sie eine kleine Minderheit für sich interessieren können. Ein Journalist sagte, für Dieter Bohlen und seine Memoiren würden sich höchstens zwei Prozent der Deutschen interessieren. Bohlens Antwort? Zwei Prozent seien großartig! Denn bei 80 Millionen Deutschen ergäbe das 1,6 Millionen verkaufte Bücher.

Die AIDA-Formel verrät etwas sehr Wichtiges. Es genügt nicht, mit stolzgeschwellter Brust vor ein Publikum zu treten und zu behaupten »Ich bin der Größte«. Wer mit einem positiven Image aus der Menge herausragen möchte, muss zuerst Aufmerksamkeit, Interesse und den Wunsch wecken, mehr zu erfahren, ehe seine Botschaft auf fruchtbaren Boden fällt.

Imagetransfer

Als der DDR-Parteichef Walter Ulbricht im Juni 1961 verkündete »Niemand hat die Absicht, eine Mauer zu errichten«, gelang es ihm noch vor Kennedy, mit einem viel zitierten Satz Berühmtheit zu erlangen. Aber sein Image war negativ – verlogen, beschränkt, totalitär. Sicher, es gibt immer wieder Leute, die handeln nach dem Motto: »Auffallen um jeden Preis, egal wie.« Der erste Terrorist, der mit dieser Handlungsmaxime den Sprung in die Geschichtsbücher schaffte, hieß Herostratos. Im Jahre 356 vor unserer Zeitrechnung steckte er den Tempel der Jagdgöttin Artemis in Brand. Das war nicht irgendein Tempel, sondern eines der sieben Weltwunder, der ganze Stolz der Stadt Ephesos. Als ihn seine Richter nach dem Grund für den Frevel fragten, antwortete er, mit dieser unerhörten Tat wolle er in die Geschichte eingehen – was ihm, wie diese Zeilen beweisen, auch gelang, während die Namen der Erbauer des einstigen Weltwunders vergessen sind.

Auch der moderne Terrorismus lebt von der negativen Aufmerksamkeit, die er erzielt. Er verbreitet Angst und Schrecken. Viel angenehmer ist es freilich, als Vorbild und positiver Held zu wirken. Ein schwieriges Unterfangen, denn wer sich in den Vordergrund drängelt, tritt anderen auf die Füße, die auch gern einen Platz an der Sonne hätten. Das weckt Neid und Begehrlichkeit. Doch es gibt einen Trick. Man nutzt das positive Image der Kollegen. Wenn ein Newcomer an der Seite eines etablierten Stars eine Filmrolle spielt, färbt ein Teil seines Glanzes auf ihn ab. Eine Prominente, die sich im *Playboy* auszieht, nutzt das Image der Zeitschrift als Edelerotikmagazin, um nicht in die Schmuddelecke gedrängt zu werden. Zugleich stellt sie sich in eine Reihe mit anderen prominenten Kolleginnen, die dort schon vor ihr alle Hüllen fallen ließen. Schauspieler gewinnen ihr Image aus ihren Filmen und den Rollen, die sie verkörpern. Christopher Lee und Dracula gehören zusammen wie Sean Connery und James Bond, wie Woody Allen und der Typ des intellektuellen Stadtneurotikers.

Die Technik des Imagetransfers beruht auf einer psychologischen Gesetzmäßigkeit, die wir schon kennen gelernt haben. Wir beurteilen Menschen nach dem, was wir von ihnen äußerlich zu sehen bekommen. Das sind ihr Gesicht, ihr Körper und ihre Handlungen. Könnten Sie Anthony Hopkins sehen ohne an seine dämonische Darstellung des kannibalischen Serienmörders Hannibal Lector zu denken? Eine Paraderolle kann dazu führen, dass der Schauspieler in jeder anderen Rolle unglaubwürdig wird. Als Hopkins in dem ambitionierten Film »Der menschliche Makel« einen Professor spielte, der Opfer einer Rufmordkampagne wurde, urteilten die Kritiker denn auch: »auf hohem Niveau gescheitert«.

Hat der Neuling sein Bild in der Öffentlichkeit gefestigt, kann er nun seinerseits sein Image an andere weitergeben. Das macht sich die Werbeindustrie zunutze, die Prominente in ihren Spots einsetzt. Siebenstellige Honorare sind üblich. Gezahlt in der Hoffnung, dass die Beliebtheit von Harald Schmidt oder Mike Krüger auf die von ihnen beworbenen Kaffeesorten abfärbt. Es handelt sich oftmals um eine Zitterpartie. Was, wenn der Promi plötzlich in einen Skandal verwickelt wird? Dann besteht die Gefahr, dass er das von ihm angepriesene Produkt mit in den Abgrund reißt.

Steter Tropfen höhlt nicht nur den Stein

Repetitio est mater studiorum – die Mutter des Studierens ist die Wiederholung, sagten die Lateiner. Was sich beim Büffeln seit 2000 Jahren bewährt, nutzt auch dem Image. Einen Werbespot nur einmal ausstrahlen ist verschenktes Geld. »Wiederholt ihn so lange, bis auch der Letzte ihn glaubt«, rufen die Macher hinter den Kulissen. »Es kommt nicht darauf an, die Zuschauer mit tausend neuen Eindrücken zu unterhalten, sondern einen einzigen Eindruck tausendmal zu senden.« Oder in Kurzform, als Slogan: »Penetranz kommt vor Varianz.«

Schon Schnecken gewöhnen sich an Reize, denen sie öfter begegnen. Botschaften, die wir mehrfach hören, haben nicht nur eine größere Chance, im Gedächtnis haften zu bleiben. Wir halten sie auch für glaubhafter. Wir sind sogar bereit, wegen ihnen unseren eigenen Augen zu misstrauen. Das bewies vor 50 Jahren der Sozialpsychologe Solomon Asch in einem klassischen Experiment. Er zeigte einer Gruppe von Studenten zwei Karten. Auf der ersten war eine waagerechte Linie zu sehen, auf der zweiten drei. Welche der drei Linien von Karte zwei war genauso lang wie die auf Karte eins? Eine lächerlich einfache Aufgabe. Alle Anwesenden gaben die richtige Antwort. Auch beim zweiten Durchgang. Beim dritten Mal gab es plötzlich eine Abweichung. Ein Student war der Meinung, dass die obere Linie die richtige ist, während alle übrigen sich ohne Zögern für die mittlere entschieden. Beim vierten Durchgang passierte das Gleiche. Derselbe Student hielt die untere Linie für die längere, die übrigen die obere. Beim fünften Bild zögerte der Student mit der abweichenden Meinung.

Was er nicht wusste: Er war in Wahrheit das einzige Versuchskaninchen. Alle übrigen Teilnehmer waren Mitverschworene des Professors. Der Versuchsleiter hatte sie zuvor instruiert, vom dritten Bild an die falsche Antwort zu geben. Nur der uneingeweihte Student antwortete richtig. Nun geschah etwas Merkwürdiges. Je weiter der Versuch fortschritt, desto unsicherer wurde er. Er fing an, erst einmal die Antworten der anderen abzuwarten, betrachtete sich die Karten ein zweites und drittes Mal – und gab schließlich dieselbe Antwort wie die übrigen, das heißt die falsche.

Der Student, der gezielt in die Irre geführt wurde, verhielt sich eigentlich ganz vernünftig. Seine Überlegung lautete: Wenn neun Leute, die über Intelligenz und Beobachtungsgabe verfügen – sonst wären sie nicht wie ich an der Uni –, behaupten, die rechte Linie sei länger, könnte etwas dran sein. Dass sich alle neun in der gleichen Weise irren sollen, ist für sich genommen schon seltsam. Wenn dies aber immer wieder passiert, also bei jedem weiteren Kartenpaar, muss der Fehler bei mir liegen. Auch wenn ich mir die Sache im Moment nicht erklären kann.

Beugte sich der Student nur dem Gruppendruck? Wollte er nicht durch eine abweichende Antwort auffallen? Oder veränderte sich seine Wahrnehmung so, dass er die falsche Linie tatsächlich für die richtige hielt? Diese Frage konnte erst 2005 der Neurologe Gregory Berns aus Atlanta beantworten. Er wiederholte Aschs Experiment, beobachtete aber dabei die Hirne der Studenten im Magnetresonanztomographen. Eine Technik, die zu Aschs Zeiten noch nicht zur Verfügung stand. Und tatsächlich: In ihren Köpfen arbeiteten die Bereiche, die für die Wahrnehmung zuständig sind. Das heißt: Informationen, die man von anderen erhält, beeinflussen, was wir sehen, hören und riechen. Wir glauben nicht, was wir sehen, sondern wir sehen, was die anderen uns glauben machen.

Wie Netzwerke das Wiederholungsprinzip noch toppen

Mehrheitsurteile festigen das Image. Sie setzen auf populäre Vorurteile: Ein Schauspieler, der eine Hauptrolle nach der anderen erhält, muss ein Genie seines Faches sein. Ein Schriftsteller, dessen Bücher immer wieder in den Bestsellerlisten erscheint, schreibt wohl spannender als seine unbekannten Kollegen. Hunderttausend Leser können nicht alle irren. Ein Comedian, der Auftritte im Fernsehen hat, ist bestimmt witziger als alle Amateurkomiker, die noch nie ein Studio von innen gesehen haben und für geringe Gagen durch die Lande tingeln.

Und wenn der Star nur deshalb immer wieder die Hauptrollen erwischt, weil er schon bekannt ist? Weil sein Agent kräftiger die Werbetrommel rührt als andere? Wie viele Regisseure scheuen einfach das Risiko, einen unbekannten Namen an die Spitze ihrer Besetzungsliste zu setzen! Bei Büchern ist die Lage ähnlich. Die Leser vertrauen den Empfehlungen der Experten. Und die vertrauen sehr oft anderen Experten. Wenn ein findiger Agent genügend Experten bei der Hand hat, die für ihn die Lawine ins Rollen bringen, ist seine halbe Arbeit schon getan.

Die Hauptwaffe, neue Konkurrenten draußen zu halten, sind Netzwerke: Tust du was für meinen Star, tue ich etwas für deinen Star. Die Fernsehshows führen dieses Prinzip mit erfrischender Offenheit vor. TV-Moderatoren laden in ihre Sendungen am liebsten andere TV-Moderatoren ein. Die wiederum revanchieren sich mit einer Gegeneinladung in ihre Sendungen. So bleiben die Fernsehmacher unter sich. In der Jubiläumssendung zu »20 Jahre Privatfernsehen« Anfang 2004 sprach Harald Schmidt mit Kollegen wie Jörg Wontorra und Margarethe Schreinemakers über alte Zeiten. Die hatten Ausschnitte aus ihren Sendungen mitgebracht, in denen sie Harald Schmidt zu Gast hatten. Über diesen Umweg zeigte (und lobte) Harald Schmidt sich selbst. Der Kreis hatte sich geschlossen.

Wenn ein Buch oder ein Film grottenschlecht ist, wird das Publikum den Betrug natürlich irgendwann durchschauen. Aber unter zahlreichen einigermaßen passablen Produktionen trennt das Image die Gewinner von den Flops. Dass eine kleine Gruppe von Schauspielern, Sängern und Moderatoren durch ein bekanntes Image glänzt, hat also vor allem mit einem zu tun: Sie sind ständig auf dem Bildschirm zu sehen. Tüchtige Leute aus anderen Berufen nicht. Wer nach der Zahl der Fernsehbilder urteilt, wem Ruhm gebührt, gewinnt ein schiefes Bild. Anthony Hopkins sagte in einem Moment aufwallender Bescheidenheit: »Es gibt Millionen von Ärzten, Pflegern und Sozialarbeitern da draußen, die sollten Oscars kriegen!« Kriegen sie aber nicht. Anthony Hopkins hat einen bekommen.

Warum Charme uns bezaubert,
Zuverlässigkeit nur langweilt

Sie wissen ja, was Charme ist: eine Art, ein
Ja zur Antwort zu erhalten, ohne eine klare
Frage gestellt zu haben.

Albert Camus

Es ist Freitagnachmittag. Stellen Sie sich vor, Sie bummeln durch die Fußgängerzone einer fremden Stadt, verweilen hier und da vor einem Schaufenster und genießen das bunte Treiben. Nach einer Weile blicken Sie auf Ihre Uhr und erschrecken. Wie die Zeit vergeht! Schon fünf vor vier! Für sechzehn Uhr hatten Sie sich mit Ihren Freunden, bei denen Sie dieses Wochenende verbringen, im Café am Markt verabredet. Da Sie sich nicht sicher sind, ob Sie deren Wegbeschreibung noch richtig in Erinnerung haben, wollen Sie einen Einheimischen fragen.

Wen werden Sie ansprechen? Den sportlichen Typ da drüben mit der neuen Lederjacke? Nein, der mampft gerade einen Döner, und die Zazikisoße läuft ihm über die Finger. Die Frau in dem eleganten Businesskostüm macht einen seriösen Eindruck, aber leider scheint sie es ziemlich eilig zu haben. Auf gar keinen Fall die Mutter, die soeben mit bitterböser Miene ihr Kind aus dem Kaufhaus zerrt. Und schon gar nicht die Jugendlichen, die gelangweilt an der Ecke lümmeln und Leute anpöbeln. Wen werden Sie also fragen?

Alle Blicke auf sich ziehen –
nichts leichter als das!

Viermal in der Woche erlebe ich den Zauber der Verwandlung
vom Mister Nobody in einen bunten Vogel, den jeder anstarrt.
Solange ich als ein Passant unter vielen durch die Einkaufs-
straßen meiner Wohngegend spaziere, fragt mich keiner nach
dem Weg oder der Uhrzeit. Das ändert sich schlagartig, sobald
ich meine Sportsachen anziehe und zum Joggen das Haus ver-
lasse. Obwohl ich nun die belebtesten Straßen meide, vergeht
kaum eine Laufrunde, ohne dass mir jemand in den Weg tritt
und wissen will, wo hier das Einwohnermeldeamt, ein För-
derverein oder die Volkshochschule zu finden ist. Fahrer von
Lieferwagen bremsen neben mir, um sich nach dem Sitz einer
Firma zu erkundigen. Kinder springen von ihrer Schaukel und
wollen wissen, wie spät es ist – obwohl ich offensichtlich außer
T-Shirt, Turnhose, Socken und Sportschuhen nichts weiter
an mir trage. Nicht zu vergessen die Schüler, die »Schneller,
schneller«, und Rentner, die »Mann, mach langsamer« rufen.
Die Penner auf den Bänken, die mit der Bierbüchse winken:
»Hey Kumpel, willst'n Schluck?« Die Frau, die beim Schwat-
zen zu ihrer Freundin sagt: »Sportliche Männer find ich geil.«
Sogar die Hunde erproben ausgerechnet an mir ihren Jagd-
trieb.

Warum gehen sie auf die einzige Person zu, die es mit
Sicherheit eilig hat und gar nicht schätzt, in ihrem Lauf auf-
gehalten zu werden? Erstens falle ich auf. Als Einzigen, der
rennt, bemerkt mich ein Rat suchender Passant sofort. Zweitens wirke ich als Läufer wie jemand, der auf der Flucht ist. Ich
wirke daher nicht bedrohlich, das nimmt selbst Schüchternen
die Hemmschwelle. Drittens gewinne ich als Freizeitsportler
eine positive Ausstrahlung. Wer sich fit hält, muss gesund, vital
und diszipliniert sein. So einer weckt Vertrauen. Er wird wohl
eine brauchbare Auskunft erteilen und bei einem spaßig ge-

meinten Zuruf nicht gleich wütend reagieren. Kaum bin ich in meine Alltagskleidung und einen gemächlichen Spazierschritt zurückgekehrt, werde ich für all diese Leute wieder unsichtbar.

Die antiken Staatslenker wie Alexander der Große hielten ihre Fähigkeit, Mitbürger in ihren Bann zu ziehen, für eine »Gnadengabe« der Götter. Das altgriechische Wort dafür lautet »chàrisma«. Es bezeichnet eine innere Energie, die unlösbar mit ausgewählten Personen verschmolzen ist. Meine Erfahrung als Jogger zeigt: Sie können zumindest einen Teil Ihrer Ausstrahlung mit Ihrem Verhalten an- und ablegen wie ein Kleid. Nur wenige haben den Zauber so weit verinnerlicht, dass er ein fester Teil ihres Charakters geworden ist. Sie versprühen ihren Charme, sobald sie der Wecker morgens aus dem Schlaf reißt. Sie strahlen ein inneres Feuer aus, wenn andere sich noch gähnend die Augen reiben. Doch solche Charaktere sind oft auch unausgeglichen. Sie neigen zu impulsivem Verhalten. Das ergab eine Studie zweier britischer Psychologen. Im ersten Moment ziehen Charmeure uns magisch an, kurz darauf stoßen sie uns mit ihren Launen zurück. In ihrem Inneren tobt ein Wechselbad der Gefühle. Sie sind kreative Energiebündel, fühlen sich aber wenig glücklich.

Wir übrigen benehmen uns charmant, wenn wir uns gelöst und glücklich fühlen. Ansonsten wirken wir eher unscheinbar. Doch selbst eine graue Maus blüht für einige Stunden auf, wenn sie frisch verliebt ist oder einen außergewöhnlichen Erfolg errungen hat.

Warum ein Lächeln das Gesicht verzaubert

Halten Sie die folgenden Sprüche für wahr?
- Wahre Schönheit kommt von innen.
- Schönheit ist unwichtig, auf die Ausstrahlung kommt es an.

- Nur wer Spuren der Erfahrung im Gesicht trägt und Gelassenheit ausstrahlt, ist schön.

Solche Behauptungen suggerieren, Schönheit und Ausstrahlung seien Gegensätze. Charme sei die Waffe der Hässlichen, um ihre körperlichen Makel auszugleichen. Naturschönheiten fehle hingegen das innere Feuer. Darin schlummert der Wunschtraum von einer ausgleichenden Gerechtigkeit. Den einen die Schönheit, den anderen das Charisma. Klar, es gibt solche Fälle. Wahrscheinlich kennt jeder langweilige Beautys, die im persönlichen Umgang kaum zu ertragen sind, und im Gegensatz dazu verschrumpelte Zwerge, die als blendende Unterhalter beliebt sind. Doch das sind Extreme. Lassen Sie in Gedanken die Film- und Fernsehstars vor Ihrem inneren Auge vorüberziehen. Die meisten sind charmant und sehen auch noch super aus. Im Normalfall hat ein gut aussehender Typ es leichter, seinen Charme zu entfalten. Er muss nicht erst mit seiner Liebenswürdigkeit seine äußeren Mängel überspielen. Im Gegenteil, ihm stehen zwei Waffen zur Verfügung. Sein Aussehen und seine Ausstrahlung. Beide verstärken einander.

Eines der wichtigsten Elemente einer positiven Ausstrahlung ist ein strahlendes Lächeln. Eine Miene, die nichts aussendet, sieht abwartend bis ablehnend aus. Solche leeren Gesichter können Sie jeden Morgen in der U-Bahn beobachten. Gute Laune hebt nicht nur die Muskeln um die Mundwinkel an, sondern auch einen Teil des Ringmuskels, der die Augenhöhlen umschließt. Seine Kontraktion zieht die Wangen mit nach oben. Dadurch bilden sich in den Augenwinkeln kleine Krähenfüße. Beim künstlichen Lächeln fehlt die Bewegung des Augenringmuskels, weil er nicht dem Einfluss des Willens unterliegt. Es gibt nur eine Möglichkeit, aufmerksame Beobachter zu täuschen. Denken Sie an etwas Lustiges, das Sie zum Lächeln bringt. Ihre humorvollen Erinnerungen erreichen mühelos, was Ihrem Willen unmöglich ist. Ihre Augen strahlen.

Ein warmes Lächeln verschönt jedes Antlitz. Auch ein hässliches. Wenn es jedoch auf einem reizvollen Gesicht erscheint, entfaltet es einen zehnfach stärkeren Zauber. Gipfel der Ungerechtigkeit – die Schönen dieser Welt lächeln öfter. Die Ursache kennen wir schon: Die Schönen haben öfter Grund zum Lachen. Wer gut aussieht, empfängt schon als Kind mehr positive Signale als die Benachteiligten. Auf ihn richten sich alle Blicke. Eltern, Verwandte und Spielkameraden geben ihm von Anfang an das Gefühl, mehr Magie auszustrahlen als seine unscheinbaren Geschwister.

Das ist kein unabwendbares Schicksal. Erlangt das unscheinbare Kind Erfolgserlebnisse auf anderen Gebieten – wegen seiner Intelligenz, seiner Kreativität oder Sensibilität –, kann es in seiner Ausstrahlung die Schönen seiner Altersgruppe überholen. Schönheit ist angeboren, und dennoch können wir mit Sport, Ernährung und Kleidung auf sie Einfluss nehmen. Genauso sieht es mit dem Charisma aus. Es beruht auf einer genetischen Grundlage. Aber die Erziehung und später unsere eigene Einstellung entscheiden mit, wie weit das Pendel in die positive oder negative Richtung ausschlägt.

Der Stoff, aus dem Charmeure sind

Eineiige Zwillinge, die getrennt aufwachsen, erreichen im späteren Leben einen ähnlichen Grad an subjektiven Glücksgefühlen. Das ergab eine Studie von David Lykken, Professor an der Universität von Minnesota. Drei bis fünf Gene scheinen dafür verantwortlich. Sie aktivieren das Belohnungssystem im Gehirn. Sein wichtigster Bestandteil ist das Dopamin. Das ist ein winziges Molekül mit großer Wirkung. Zwei kleine Kerne im Mittelhirn schütten es aus, sobald eine Lieblingsspeise oder eine attraktive Person das Begehren weckt. Dopamin steuert die Neugier, Phantasie und Lust. Doch nicht nur das.

Als Botenstoff wandert es durch das Gehirn und aktiviert jene Zentren, die den Wunsch in Wirklichkeit verwandeln können. Unter seinem Einfluss werden wir aktiv. Die Kauflust lässt uns das Portemonnaie zücken. Die Lust, den attraktiven Fremden kennen zu lernen, zaubert uns ein Lächeln auf das Gesicht. Wir nehmen Blickkontakt auf und finden vielleicht sogar den Mut, ihn anzusprechen.

Menschen, die unter Dopaminmangel leiden, wirken apathisch, antriebslos. Ihre Miene wirkt leer, ihre Haltung ist schlaff. Doch auch zu viel Dopamin könnte uns gefährlich werden. Wer immer unter Hochspannung steht, wird fahrig und nervös. Sein Begehren ist ständig wach und findet kein festes Ziel. Kaum hat er die eine Schöne erblickt und angebaggert, sieht sein Auge schon die Nächste und möchte auch sie in seinen Bann ziehen. So wie wir Lust und Energie brauchen, benötigen wir auch Ausgeglichenheit und Harmonie. Dafür sorgt das Serotonin, ein weiterer Nervenbotenstoff. Er verhindert, dass wir über die Stränge schlagen. Es sorgt für Maß und Ziel. Wir fühlen uns mit unseren Wünschen und Möglichkeiten in Übereinstimmung mit der Wirklichkeit. Ein Mangel an Serotonin bremst diese innere Selbstgewissheit. Er zieht Ängste, Stressgefühle und Depressionen nach sich.

Das Wechselspiel beider Botenstoffe spiegelt sich im Verhalten wider. Das entscheidende Merkmal ist die Extraversion. Der Psychoanalytiker Carl Gustav Jung nannte Anfang des 20. Jahrhunderts Menschen extravertiert (außengeleitet), die kontaktfreudig das Bad in der Menge genießen, ihr Herz auf der Zunge tragen und vor Unternehmungsgeist sprühen. Wer dagegen eher still und schüchtern ist und gern ein gutes Buch liest, wer Stunden mit sich allein verbringen kann, ohne sich zu langweilen, den nannte Jung introvertiert (innengeleitet). Bei den Partytypen ist das innere Belohnungssystem stärker aktiviert, stellte der Amerikaner Jeffrey Gray in den achtziger Jahren fest. Hier lässt sich ohne Schwierigkeit ein Übergewicht des Dopamins erkennen, bei den Bücherwürmern dagegen der beruhigende Einfluss des Serotonins. Introvertierte haben weniger Ausstrahlung, weil sie weniger Interesse an ihren Mitmenschen zeigen. Dafür verfügen sie über die höhere Verhaltensbreite. Extravertierte langweilen sich und fühlen sich unglücklich, wenn sie längere Zeit still in ihrem Zimmer ausharren müssen. Introvertierte unternehmen von sich aus zwar wenig Anstrengungen, um Partys und Trubel zu organisieren. Wenn sie aber in einen geselligen Kreis hineingezogen werden, genießen sie das Zusammensein ebenso wie die Stimmungskanonen.

Der US-Psychologe David A. Kenny untersuchte, wie schnell Menschen sich ein Urteil über Personen bilden, die sie nie zuvor gesehen haben. Sein Ergebnis: Am schnellsten erkennen wir bei Fremden ihre Bereitschaft, auf andere zuzugehen – also ihre Extraversion. Selbst auf Fotos erkannten Kennys Versuchspersonen sofort, ob jemand extravertiert war oder nicht. Wenige Sekunden reichten ihnen, um ein korrektes Urteil zu fällen. Extraversion ist der Kern jeder Ausstrahlung – sie ermöglicht Kontakte und ist besser zu erkennen als jeder andere Charakterzug. Kenny: »Offensichtlich spiegelt sich unsere Persönlichkeit in unserem Auftreten, im nichtverbalen Verhalten, im mimischen und gestischen Ausdruck.«

Carl Gustav Jung glaubte noch, dass der Grad an Geselligkeit den Unterschied zwischen beiden Typen erzeugt. Seitdem haben Psychologen und Neurologen das Geheimnis der Ausstrahlung genauer untersucht. Heute wissen wir, auf die innere Einstellung kommt es an. Das Schlüsselwort heißt Optimismus.

Wovon es abhängt, ob ein Glas halb leer oder halb voll aussieht

Martin Seligman hat seinen Familiennamen zum Forschungsprogramm erhoben. Als Professor an der Universität von Pennsylvania erforscht er seit vielen Jahren die positive Lebenseinstellung. In zahlreichen Untersuchungen zeigte er, dass Optimisten auf dem Spielplatz, in der Schule, der Ausbildung und im Beruf besser abschneiden. Bewerben sie sich um ein Amt, stehen ihre Chancen hervorragend. Sogar bei der Gesundheit haben sie die Nase vorn. Seligman wies in Auswertung einer Langzeitstudie nach, dass Optimisten länger ihre jugendliche Lebenskraft bewahren. Pessimisten erkranken erheblich früher als ihre hoffnungsfrohen Zeitgenossen an Bluthochdruck, Herzleiden und Krebs. Eine Studie an 100 Herzinfarkt-Opfern eines Krankenhauses in San Francisco bestätigte diesen Zusammenhang. Weniger Optimisten als Pessimisten erlitten einen zweiten Infarkt. Ihre Lebenserwartung war höher als die ihrer Mitpatienten. Von den 16 optimistischsten Versuchspersonen lebten acht Jahre nach dem ersten Infarkt noch elf. Von den elf pessimistischsten Kandidaten lebte hingegen nur noch einer.

Laufen Optimisten mit einer rosa Brille durch das Leben? In gewisser Weise schon. Pessimisten schätzen ihre Situation realistischer ein. Optimisten blenden kleinere Hürden aus und richten ihre Blicke allein auf ihr Ziel. Sie finden so die Kraft zum großen Sprung über alle Hindernisse hinweg. Dennoch sind Lebenskünstler nicht so weltfremd, dass sie einen Schicksalsschlag nicht erkennen würden. Aber sie bewerten ihn anders. Fröhliche Naturen halten Niederlagen für vorübergehend. Sie sagen sich: »Na schön, da habe ich einen Rückschlag erlitten. Beim nächsten Mal passe ich besser auf, damit das nicht wieder vorkommt.« Der Pessimist lamentiert: »Das musste ja so kommen. Das ist wieder mal typisch für mich. Meine Mutter hat mich schon gewarnt, ich soll kleinere Brötchen backen. Ich hätte auf sie hören sollen.«

Bekanntlich stöhnt der Pessimist: »Schlimmer kann es nicht mehr kommen.« Und der Optimist antwortet: »O doch!« Dieser Scherz enthält ein Körnchen Wahrheit. Das Stehaufmännchen beruhigt sich nicht mit einem bagatellisierenden »Wird schon nicht so schlimm werden«, sondern sagt sich: »Auch wenn es noch dicker kommt, ich werde einen Ausweg finden.« Der Kern der Schwarzseherei ist dagegen die Hilflosigkeit. Egal, was ich auch tue, ich habe keine Chance, meine Lebensumstände zu verbessern.

Taten entzünden das innere Feuer

Der Glaube an sich selbst, der Frohnaturen auszeichnet, ist mehr als eine rosa Brille. Hinter ihm steckt Erfahrung. Der Optimist verhält sich so, dass sein schönfärberischer Glaube an eine lichte Zukunft immer wieder Bestätigung findet. Seine gute Laune lässt Herzen dahinschmelzen und jedermann seine Nähe suchen. Sein Frohsinn überträgt sich auf die Gesichter seiner Zuhörer. Seine Energie reißt sie mit. In seinem Bannkreis fühlen sie sich froher und stärker.

An jedem Mann laufen täglich schöne Frauen vorüber, denen er heimlich hinterherschaut. Neunzig Prozent der Singlemänner begnügen sich mit einem sehnsüchtigen Blick. Doch wenn er sich ein Herz fasst, sie anlächelt und auf nette Weise anspricht, erlangt er Ausstrahlung. Andere mögen zögern – er nicht. Geübte Charmeure fürchten sich nicht, einen Korb zu bekommen. Die Dame lässt ihn eiskalt abblitzen? Er beruhigt sich: »Wahrscheinlich ist sie frisch verlobt und bedauert insgeheim, mir kein Rendezvous gewähren zu können.«

Oftmals stimmt diese Vermutung sogar. Wer etwas tut, was die meisten sich nicht trauen, aber ebenfalls gern täten – der erweckt Bewunderung und das leise Bedauern »Ach, wenn ich doch nur ebenfalls ...« Er erlebt die gleiche Verwandlung wie ich als Jogger. Nur wer aus dem Schatten heraustritt, zieht Blicke auf sich. Der erste Rat auf dem Weg zu mehr Ausstrahlung lautet daher: Begnügen Sie sich nicht mit stillem Wünschen. Unternehmen Sie Schritte, um das begehrte Gut zu erlangen, und Ihre Mitmenschen schenken Ihnen mehr Beachtung als vorher.

Warum Opfer ihre Ausstrahlung verlieren

Wie viele Menschen kennen Sie, die sich benachteiligt fühlen wegen ihrer Herkunft, ihrer Erziehung, ihres Geschlechtes, ihres Aussehens? Sie alle betrachten sich als Opfer ungünstiger Umstände. Sie erwecken Mitleid. Charisma haben sie nicht. Langzeitstudien zeigen jedoch: Gute oder schlechte Umstände haben nur kurzfristige Auswirkungen auf das Wohlbefinden. Ob Lottogewinner oder Verkehrsopfer, das im Rollstuhl landet – nach etwa einem Jahr fühlen sich beide wieder so wie vorher. Ein Pessimist, der unerwartet einen Sechser kassiert, beginnt sich zu grämen, weil er fürchtet, seinen Freunden sei nur noch sein Geld wichtig. Ein Frohgemüt, das nach einem Unfall behindert bleibt, freut sich, überlebt zu haben. Der Invalide macht Pläne, was er in seiner vielen Freizeit alles unternehmen kann. Er sucht Kontakt zu Schicksalsgenossen, organisiert gemeinsame Fahrten und widmet sich einem interessanten Hobby. Menschen mit Charisma übernehmen die Verantwortung für ihr Schicksal. Hürden sind für sie keine Barrieren, sondern Herausforderungen. Sie genießen es, sich an ihnen zu messen.

Wer von uns weiß schon, wozu er im Ernstfall imstande wäre? Pessimisten richten ihre Kraft in erster Linie darauf, ihre Schwächen zu verbergen. Sie denken häufig: »Hoffentlich merkt keiner, wie faul (vergesslich, hässlich, dick ...) ich bin.« Optimisten sehen sich als eine Mischung aus Stärken und Schwächen, wobei die Stärken überwiegen. Wenn sie über sich nachdenken, dann mehr im Detail: »Zwar ist meine Nase etwas lang, aber meine Augen und meine Wimpern sind unschlagbar.«

Meist grübeln sie gar nicht und nutzen ihre Trümpfe, um zu erlangen, was sie begehren. Wie in folgendem Beispiel: Ein lebensfroher Jungakademiker soll innerhalb von zwei Jahren eine Doktorarbeit abliefern. Er weiß aber genau, dass er weder das Zeug zum systematischen Forscher noch zum geduldigen Schreiber hat. »Was soll's«, sagt er sich, »es ist ja nur eine Doktorarbeit. Ich will bloß den Titel vor meinen Namen setzen und nicht den Nobelpreis erringen.« Da er weiß, dass in ihm ein amüsanter Plauderer steckt, bauscht er seine wenigen Experimente auf, indem er einen großspurigen Vortrag darüber auf Band spricht. Dann spielt er seinen ganzen Charme aus, um ein fleißiges Bienchen aus seinem Institut zu überreden, das Ganze für ihn abzutippen. Die Gutachten der Professoren sind zwar nicht berauschend, dennoch verteidigt er die Arbeit mit Bravour, weil seine Begeisterung, in die er sich hineinsteigert, die Zuhörer fasziniert.

Ist Charisma mit Wagemut gleichzusetzen?

Sie brauchen nicht zum Südpol zu wandern. Nur das ewige Eis wäre Zeuge Ihrer Mutprobe. Ausstrahlung entwickelt, wer Tapferkeit im zwischenmenschlichen Umgang beweist. Das betrifft vor allem drei Eigenschaften:

Offenheit. Ein Pärchen beratschlagt: »Was machen wir am Samstag?« Wenn er auf den Fußballplatz, sie aber lieber ins Theater will, verliert derjenige an Ausstrahlung, der seinen Wunsch verschweigt, um keinen Streit zu provozieren. Es fällt

uns erstaunlich schwer, klar zu sagen, was wir wollen. Wi
drucksen herum, sodass der andere erraten muss, was eigent
lich gemeint ist: »Na ja, Fußball ist schon okay, allerdings fände
ich was Kulturelles auch nicht schlecht.« Oder wir formulieren
einen Vorwurf: »Typisch. Immer Fußball! Ist dir mal aufgefallen, dass wir seit Monaten nicht mehr im Theater waren?«

Gefühle. Wer preisgibt, was er empfindet, wirkt sympathisch
und interessant. Hollywood lebt von unserer Sehnsucht, die
Gefühle anderer kennen zu lernen. Große Emotionen verleihen den Stars ihr unverwechselbares Charisma. Was tun wir?
Statt »Heute fühle ich mich niedergeschlagen« sagen wir »Lass
mich in Ruhe«, statt »Ich bin begeistert« murmeln wir »Na ja,
nicht schlecht, diese CD«. Wir geben uns cool und berauben
uns unserer natürlichen Ausstrahlung.

Entscheidungsfreude. Das rote Kleid oder die Stretchhose?
Der Schwiegermutter endlich mal ordentlich die Meinung
sagen oder lieber nicht? Um Lohnerhöhung bitten oder besser
nicht den Job riskieren? Wie gern schieben wir schwierige Ent-
schlüsse hinaus! Wer weiß, was für Konsequenzen eine falsche
Entscheidung nach sich zieht. Optimisten entscheiden unbe-
kümmert drauf los. Wenn sich der Entschluss später als falsch
herausstellt – na und? Fehler sind zum Daraus-Lernen und
Korrigieren da. Treffen wir eine neue, bessere Entscheidung!
Viele Leute sind dankbar, wenn ihnen ein anderer die Entscheidung abnimmt. Wer von hoher Entschlussfreude ist, zieht
daher zögerliche Zeitgenossen in seinen Bann.

Die Leidenschaft des Hier und Jetzt

Der amerikanische Autor David J. Lieberman formulierte das
Glücksprinzip: »Lebe jetzt, gräme dich später.« Wer grübelt,
was er in der Vergangenheit hätte anders machen können,
beraubt sich seiner Energie für die Gegenwart. Ebenso, wer

sich sorgt, ob in Zukunft alles glatt gehen wird. Charismatische Personen strahlen mehr Vitalität aus, weil sie ihre gesamte Kraft auf den Augenblick konzentrieren, in dem sie leben. Das Vergangene ist unwiderruflich vorbei. Was die Zukunft bringt, weiß ich erst, wenn sie da ist. Diese Leichtigkeit erlaubt den vollen Genuss der Gegenwart.

Fernöstliche Weisheitslehren üben zu diesem Zweck die Kunst der Kontemplation. Betrachten Sie eine Kerze. Engen Sie Ihren Blick auf das flackernde Licht ein. Hören Sie das Knistern des Dochtes, riechen Sie das heiße Wachs. Die Konzentration auf die momentanen Sinneseindrücke schaltet das Grübeln im Kopf ab. Können Sie genauso konzentriert Ihren Mitmenschen zuhören? Charisma erlangt, wer Augen und Ohren nur für die Person hat, mit der er gerade spricht. Wer zerstreut wirkt, weil seine Gedanken woanders weilen, kann auch nicht erwarten, dass sein Gegenüber mit hundert Prozent Aufmerksamkeit an seinen Lippen hängt.

Geradezu unwiderstehlich wirkt, wer Leidenschaft und Begeisterung ausstrahlt. Ich kenne ein schüchternes Mäuschen, das aufblüht, wenn es von seinem Hobby erzählt – japanische Seidenmalerei. Ihre Augen beginnen zu leuchten, ihre Stimme wird lebhaft, ihre Gesten gewinnen an Ausdruck. Der Charme, der aus der Begeisterung erwächst, ist deshalb so überzeugend, weil hinter ihm starke Gefühle stehen.

Sobald aber ihre Freundin sie unterbricht und ihrerseits von ihrem Spaß am Segeln zu erzählen beginnt, erlischt das Leuchten auf dem Gesicht der Seidenmalerin wieder. Was die Freundin begeistert, lässt sie kalt. Echte Charmebolzen behalten ihr Strahlen bei. Sie können mit Begeisterung zuhören, weil sie neugierig sind und sich für ihre Mitmenschen interessieren.

Das erklärt, warum wir so positiv auf charismatische Ausstrahlung reagieren. Unser Unterbewusstsein zieht folgende instinktive Schlussfolgerung: Vor mir steht ein Mensch, der sich für mich interessiert und so viel Power mitbringt, dass sich ein Teil seiner guten Laune auf mich überträgt. In seinem Bannkreis fühle ich mich stärker.

Was ein Selbstsicherheitstraining bringt

Talkshows erwecken den Eindruck, die Öffentlichkeit sei eine Spielwiese für jedermann. Der Psychologe Ulrich Stangier von der Goethe-Universität in Frankfurt am Main hat jedoch in einer Studie herausgefunden, dass immer mehr Menschen an quälender Schüchternheit leiden. Auftritte vor Kameras und Publikum sind für sie ein Horror. Hat die bunte Medienwelt eine neue Zweiklassengesellschaft hervorgebracht – TV-Exhibitionisten auf der einen, Kamerascheue auf der anderen Seite?

Psychologen widersprechen: Schüchternheit sei erlernt. Und was einmal erlernt wurde, kann auch wieder verlernt werden. Wer sich daran gewöhnt hat, die Welt mit einem pessimistischen Auge zu betrachten und sich bei Schwierigkeiten hilflos zu fühlen, der braucht nur ein geeignetes Trainingsprogramm zu absolvieren, und schon wandelt sich der Frosch zum Prinzen.

Zwei von drei Klienten kann tatsächlich fühlbar geholfen werden. Dabei dürfen wir aber nicht vergessen, dass in der Mehrzahl nur solche Leute eine Therapie durchziehen, die mit erheblichen Problemen kämpfen. Zum Beispiel weil sie so verängstigt sind, dass sie keinen Fremden anrufen und selbst vor vertrauten Kollegen keine zwei Minuten reden können, ohne zu erröten und sich heillos zu verhaspeln. Dann helfen einfache Übungen, wenigstens eine durchschnittliche soziale Kompetenz zu erwerben. Ein typisches Selbstsicherheitstraining steigert den Schwierigkeitsgrad sozialer Mutproben Schritt für Schritt:

- In eine belebte Gegend gehen und unbekannte Leute mit einem freundlichen »Hallo« grüßen, um zu lernen, dass Fremde darauf höchstens mit verwundertem Blick reagieren. Sie schimpfen nicht und rufen auch nicht nach der Polizei. Die gefürchtete Blamage bleibt aus.
- Mit Postfrau, Bäckerin und anderen flüchtigen Bekanntschaften ein, zwei Sätze über das Wetter wechseln. Mögliche Gesprächsanfänge probiert man vorher in der Gruppe aus, etwa »Ziemlich frisch heute, nicht wahr?« oder »Ich habe gehört, es soll am Nachmittag regnen«.
- Wer das Gespräch von Angesicht zu Angesicht scheut, übt erst einmal am Telefon. Der Schüchterne ruft in einer Bibliothek an und bittet um eine Auskunft, zum Beispiel, ob sie ein bestimmtes Buch im Bestand hat. Er soll dann sagen »Moment, das notiere ich mir« und sich freundlich für die Auskunft bedanken. Diese Übung wiederholt er so oft, bis ihm das Herz nicht mehr bis zum Halse schlägt, sobald der Angerufene sich meldet.
- Heikler sind Situationen, in denen der Ängstliche Fremde auf der Straße unter einem Vorwand ansprechen muss. Zum Beispiel Tourist spielen und sich ein Restaurant empfehlen lassen. Das Ziel einer solchen Übung besteht darin, am Ende eine attraktive Person anzureden und in das Wirtshaus einzuladen.

Fünf Wege führen auf das Siegertreppchen

Diese – an sich banalen – Übungen haben schon Tausenden Mauerblümchen aus ihrer Schüchternheit herausgeholfen. Denn woran erkennen wir eine positive Ausstrahlung? An den Handlungen eines Menschen. An seinen Taten, seinen Worten, vor allem aber an seiner Körpersprache. Wer viele kleine Erfolgserlebnisse sammelt, dessen Auftreten wirkt mit der Zeit energischer und entschlossener. Wer sich in einer fröhlichen Runde Gleichgesinnter amüsiert, strahlt eine bessere Laune aus als ein Miesepeter, der über die Ungerechtigkeit des Lebens jammert. Prominente, deren Magie wir bewundern, halten es übrigens genauso. Sie meiden Kritiker und umgeben sich mit Fans. Sie blocken negative Rückmeldungen ab und sammeln Erfolgsmeldungen. So bewahren sie sich ihren Glauben an sich selbst und erhalten stets von neuem die Bestätigung: »Ich bin der Größte.«

Darüber hinaus lehren Verhaltenstrainer fünf Regeln, die zu mehr Ausstrahlung führen:

Fragen stellen. Wer sich vordrängelt, erlebt eine unfreundliche Zurückweisung nach der anderen. Wer sich nicht traut, wird übergangen. Der sichere Mittelweg, der eine positive Reaktion garantiert, lautet: Machen Sie es wie Gottschalk, Jauch und Co.! Stellen Sie Ihren Mitmenschen Fragen. Es macht nichts, wenn Sie die Antwort schon wissen. Nicht der Inhalt ist entscheidend, sondern der zwischenmenschliche Kontakt.

Wer eine Frage stellt, zeigt nicht nur Interesse. Er macht seinem Gegenüber zudem ein verstecktes Kompliment: Ich frage dich, weil ich dich für kompetent halte, mir eine brauchbare Antwort zu geben. Besonders geeignet sind Fragen, die mit einem »Wie ...?« oder »Warum ...?« anfangen. Auf sie kann der Angesprochene nicht mit einem bloßen Ja oder Nein antworten, sondern muss ein bisschen mehr erzählen. Wer anderen Gelegenheit gibt, ein wenig mit ihrem Wissen zu protzen, macht sich beliebt. Bekannte TV-Moderatoren und Journalisten fanden ihren Weg in die Öffentlichkeit, indem sie anfingen, Prominente zu befragen. So wurden sie selbst prominent, und heute sind sie es, denen man Fragen stellt.

Eine Nische finden. Nur eine Persönlichkeit mit Ecken und Kanten hat Charisma. Wer ein friedfertiges, angepasstes Naturell besitzt, wäre freilich schlecht beraten, sich grelle Klamotten anzuziehen und seine Mitmenschen zu provozieren.

Nur Echtes überzeugt. Selbst wenn alle Kollegen sicherer auftreten und kompetenter sein sollten – es genügt, auf ein Nebenfeld auszuweichen, auf dem sich noch niemand tummelt. Ob Job oder Freundeskreise – immer finden sich Aufgaben oder Hobbys, die zwar als interessant gelten, aber viele scheuen, weil sie als nebensächlich oder zu mühselig gelten.

Wer einen solchen Bereich an sich zieht, über den heißt es zunächst: »Fragt mal Katja, die interessiert sich dafür.« Nachdem Katja einige Male in die Bresche gesprungen war, heißt es: »Dafür haben wir eine Spezialistin.« Schon gilt Katja als unentbehrlich. Nun kann sie ihre Tätigkeit schrittweise ausweiten und alles an sich ziehen, das mit ihrem Spezialgebiet in einem Zusammenhang steht. Die erfolgreichsten Firmengründer haben nicht versucht, andere auf ihrem eigenen Territorium zu schlagen. Das beste Beispiel lieferte der Software-Riese Microsoft. Seine Nische war zunächst das Betriebssystem DOS. Als Nächstes erweiterte die Firma mit der Benutzeroberfläche Windows ihr Konzept und stieß von dort aus in viele weitere Bereiche der Computerprogrammierung vor.

Haltung. Geübte Ärzte erkennen depressive Patienten auf den ersten Blick: Hängende Schultern und Mundwinkel, zusammengesunkene Sitzhaltung. Die trübe Stimmung drückt die Muskulatur nach unten. Gute Laune zieht dagegen den Körper hoch.

Biologen wissen seit langem, das auch die Umkehrung funktioniert. Strafft sich der Körper, bessert sich die Laune. Die Muskeln melden den Nerven: positive Haltung. Diese funken die Nachricht ans Gehirn, das daraufhin sofort auf gute Stimmung umschaltet. Wer den Regenblues spürt, braucht also nur sein Kinn anzuheben und den Rücken aufzurichten. Bringt ihn nicht einmal die Erinnerung an einen Witz zum Schmunzeln, kann er zu folgendem letzten Mittel greifen: Gerade hinstellen, die Arme zur Seite strecken und um rund dreißig Grad anheben – wie eine Uhr, deren Zeiger auf zehn vor zwei zeigen.

In dieser Stellung ist es praktisch unmöglich, die Mundwin
hängen zu lassen. Sie streben wie die Arme nach oben. Diese
Siegerpose eine Minute durchhalten, und die Laune bessert
sich spürbar.

Gelassenheit. Anziehende Menschen ruhen in sich selbst. Sie
strahlen Selbstgewissheit aus. Auch wer eher nervös und unru-
hig ist, kann sich die Haltung innerer Souveränität aneignen.
Wieder führt der Weg zur Gemütsruhe über das Verhalten.
Wenn man Sie kritisiert oder kränkt, atmen Sie drei Sekunden
durch, ehe Sie reagieren. Antworten Sie grundsätzlich: »Darüber muss ich erst nachdenken.« Reagieren Sie erst, wenn Ihre
innere Erregung abgeklungen ist.

Äußern Sie eine Bitte und stoßen auf Widerstand, fangen
Sie keine Diskussion um das Für und Wider an. Das sähe aus,
als hätten Sie es nötig, Ihren Wunsch zu rechtfertigen. Wiederholen Sie lediglich Ihre Bitte. Wenn nötig, auch ein drittes oder
viertes Mal. Bis Ihr Gegenüber entweder nachgibt oder seinerseits anfängt, seine Ablehnung zu rechtfertigen. Dann haben
Sie Oberwasser.

Spontaneität. Wir Deutschen werden in aller Welt für unsere Disziplin, Genauigkeit, Zuverlässigkeit und emsigen Fleiß
bewundert. Die leichtlebigen und genussfreudigen Franzosen
sind freilich beliebter. Auch bei uns. Wer Lebenslust obenan
stellt und dafür riskiert, auch mal Fehler zu machen und nicht
ganz so perfekt zu erscheinen, besitzt die menschlichere Ausstrahlung. Denn in seiner Gegenwart fällt es leichter, sich auch
mal gehen zu lassen.

Je mehr das Leben verplant und von Routinen durchzogen
ist, desto weniger Platz bleibt für Abenteuer und Charme. Alles, was die Seele jung hält, weckt Sympathie: Am Wochenende
einfach mal auf einen Zeltplatz fahren, eine Radtour in unbe-
kanntes Gelände unternehmen, ein neues Hobby ausprobieren,
merkwürdige Vereine aufsuchen und um Informationen über
ihre Ziele bitten. So trivial solche Empfehlungen auch klingen

mögen – sie verwandeln den farblosen Stubenhocker in einen magischen Charmeur. Wer gern mal ausgefahrene Gleise verlässt und stets für eine Überraschung gut ist, bringt Farbe in den Alltag seiner Mitmenschen.

Warum wir einem höflichen Betrüger
eher vertrauen als
einem ehrlichen Flegel

Es gibt wenig Gründe, die Wahrheit zu
sagen, aber unendlich viele, um zu lügen.

Carlos Ruiz Zafón

»Sind Sie verheiratet, mein Herr?«

»Ja. Aber ich habe nur eine Frau.«

»Da können Sie nicht urteilen. Nach einem einzigen Beispiel kann man nicht generalisieren …«

Der Mann, der diese Worte sprach, ist die Hauptfigur aus William Somerset Maughams Erzählung »Das runde Dutzend«. Mortimer Ellis war mit elf Frauen verheiratet. Gleichzeitig. Auf den ersten Blick ein biederer Typ, weder geistreich noch gut aussehend. Aber darauf käme es den Frauen auch nicht an. Zugegeben, er habe sie um ihr Geld gebracht. Doch was er ihnen dafür bot! Sicherheit. Aufmerksamkeit. Nie ging er aus dem Haus und nie kehrte er abends zurück, ohne ihnen einen Kuss zu geben. Stets brachte er Blumen oder Schokolade mit. Von ihrem Geld bezahlt, aber schließlich komme es auf die Einstellung an, mit der man schenkt. Seine elfte, das undankbare Stück, habe ihn vor den Kadi gebracht. Aber drei seiner Opfer baten um Gnade für ihn.

Einen Traum habe er noch. Eine zwölfte Frau heiraten, um das Dutzend voll zu machen.

Somerset Maugham stützte sich in seiner Erzählung auf reale Fälle. Erfolgreiche Betrüger faszinieren uns. Vor allem, wenn wir den Leuten, die auf den Schwindel hereingefallen sind, den Schaden gönnen. Mancher Hochstapler wurde erst nach seiner Entlarvung richtig berühmt. Wer kennt nicht Wilhelm Voigt, den Hauptmann von Köpenick, dem eine Uniform und ein militärischer Tonfall genügten, um an die Stadtkasse heranzukommen? In den zwanziger Jahren gab sich der arbeitslose Müllerssohn Harry Domela aus Lettland als Wilhelm von Preußen aus, Sohn des ehemaligen Kronprinzen. Der glänzende Titel verschaffte ihm Zugang zu den Adelssalons und für mehrere Jahre ein Leben in Saus und Braus. Nach seiner Festnahme veröffentlichte er 1927 seine Autobiographie, die sofort sechs Auflagen erlebte und 122 000-mal über die Ladentische ging – für die Weimarer Republik ein sensationeller Erfolg.

Vor wenigen Jahren bewies der Postbote Gert Postel den Doktoren, dass man nicht studiert haben muss, um glaubwürdig als Akademiker zu gelten. Ein in der passenden Tonlage geführtes Telefonat, in dem er einige Reizwörter fallen ließ, die unter Ärzten üblich sind – und schon erhielt er streng vertrauliche Daten. Postel fälschte Dokumente, bezirzte Professorinnen, umschmeichelte Klinikdirektoren und mogelte sich hoch bis zum Oberarzt in der Psychiatrie. Auch er schloss seine Laufbahn mit einem Buch über seine Abenteuer ab.

Voigt, Domela und Postel – bei den dreien flog der Schwindel auf. Doch wie viele Hochstapler mögen noch unerkannt durch die Lande ziehen? Wie viele werden nie ertappt? Mancher hat es nicht nur auf einsame Frauenherzen oder arglose Patienten abgesehen, sondern schädigt die Allgemeinheit um Millionen. Wie vor Jahren der Baulöwe Schneider. Er erhielt Milliardenkredite von Fachleuten der Großbanken, die geschult waren, Großmäuler zu entlarven. Am Ende blieb ein Berg von Schul-

den, den einer der Bankmanager, um sein Versagen zu bagatel-
lisieren, als »Peanuts« bezeichnete. Die Versuchung ist groß,
sich zurückzulehnen und zu behaupten: »Mir wäre das nicht
passiert. Ich verfüge über ein gesundes Misstrauen.«

Selbst damit kommen Betrüger klar. Sie geben dem Argwöh-
nischen in seinem Argwohn Recht. Der Schweizer Dramatiker
Max Frisch brachte 1957 folgende Geschichte auf die Bühne:
Herr Biedermann fürchtet sich panisch vor Brandstiftern. Er
misstraut allen fremden Gesichtern. Bis eines Tages zwei Typen
vorbeischauen und in aller Offenheit nacheinander Holzwolle,
Zündschnur und Benzinfässer auf seinen Dachboden tragen.
Herr Biedermann gibt ihnen sogar Streichhölzer, denn er sagt
sich: Meinten die zwei es wirklich ernst mit dem Zündeln, würden sie ihre Vorbereitungen heimlich treffen. Nur der Theater-
zuschauer ahnt die Katastrophe voraus. Am Ende steht Bieder-
manns Haus in Flammen.

Zum Glück nur eine literarische Übertreibung. Oder? Wie
gut können wir Wahrheit und Lüge auseinander halten?

Die Weltsprache der Gefühle

Am Anfang stand ein Betrug. Diesmal ein missglückter. In den
sechziger Jahren hatte jemand versucht, ein Forschungsstipen-
dium des US-Verteidigungsministeriums zur Verschleierung
von Gegenspionage auszugeben. Noch dazu im Ausland. Die
Sache kam ans Licht, und um den Skandal zu bemänteln, sollte die Summe schnell irgendeinem harmlosen Nachwuchsfor-
scher zugeschustert werden. Ein Angestellter des Ministeriums
beschwatzte den jungen Paul Ekman aus San Francisco, von
dem Geld ein paar schöne Reisen um die Welt zu unternehmen. Um dem Ganzen einen Sinn zu verleihen, sollte er Gesichtsausdrücke der Kulturen fotografieren und miteinander
vergleichen. Das hatte noch keiner gemacht, damit ließ sich

das Stipendium rechtfertigen. Auch wenn nicht viel dabei herauskommen würde.

Ekman war ebenfalls skeptisch. Bis zu jenem Tag hatte er Gesten erforscht. Die gab es in Hunderten von Variationen. Jede Kultur besaß ihre eigenen Finger- und Handbewegungen, an denen Eingeweihte einander erkannten. Aber Gesichter? Ein äußerst armseliges Verständigungsmittel, dachte er. Kleinkinder ahmten die Grimassen ihrer Eltern nach, doch kaum konnten sie reden, verließen sie sich lieber auf das gesprochene Wort. So lautete 1967, als Ekman seine Reise antrat, die allgemeine Überzeugung.

Ekman hatte Fotos von fröhlichen, traurigen, überraschten und zornigen Amerikanern im Gepäck. Die zeigte er Leuten aus Südamerika, Japan und allen anderen Ländern, in die ihn seine Reise führte. Zu seiner Überraschung hatten sie keine Probleme, die Gefühle der abgebildeten Personen richtig zu deuten. Freilich hatten diese Völker schon Weiße im Fernsehen oder zumindest in Zeitungen gesehen. Nun wollte Ekman es genau wissen. Er packte seinen Rucksack und flog auf eine Insel, die damals als das Ende der Welt und Heimat der Kannibalen galt – Papua-Neuguinea. Nur von einem einheimischen Führer begleitet, wanderte er wochenlang durch den Busch zum Volk der südlichen Fores. Vier Monate blieb er dort, und was er entdeckte, sollte das Wissen über uns Menschen revolutionieren. Die Fores, die zum ersten Mal in ihrem Leben überhaupt Fotos zu sehen bekamen, erkannten die Gefühle auf den amerikanischen Gesichtern sofort. Genau wie die Japaner. Ekman beobachtete die Buschleute beim Feiern, bei Streitereien, in Schrecksekunden und bei Überraschungsbesuchen. Jedes Mal fotografierte er ihre Gesichter. Diese Aufnahmen zeigte er später in Amerika. Seine Landsleute identifizierten die Gefühle der Südseeinsulaner ebenso einwandfrei wie diese die ihren.

Nun kam eine Lawine ins Rollen. Auf einmal galt das Studium menschlicher Gesichter als aufregendes Neuland. Wenn Emotionen auf den Gesichtern weltweit identisch sind, müssen sie angeboren sein. Die erste Bestätigung kam schnell. Im Juli 1972 filmte der deutsche Verhaltensbiologe Irenäus von Eibl-Eibesfeldt im Blindeninstitut von Taipeh (Taiwan) einen chinesischen Jungen, der nicht nur blind, sondern auch noch taub geboren wurde. Dennoch zeigte sein Gesicht Lächeln, Ekel und Ärger wie jedes europäische Kind, obwohl er nie die Gelegenheit hatte, sich die Mimik von einer Erzieherin abzuschauen. Im gleichen Jahr entdeckten Forscher bei Affen ein spezielles Areal im Gehirn, das nur für das Erkennen von Gesichtern da ist. Es handelt sich um eine tiefe Furche in der Nähe des oberen Schläfenlappens. Diese Nervenzellen reagieren nur auf Gesichtsmuster – nicht auf Teile davon und nicht auf Kanten, Gitter und andere eckige Formen. Dieses Hirnareal ermittelt ausschließlich die Identität, die Mimik und die Ausrichtung eines Gesichts. Es lässt uns sogar dort Gesichter sehen, wo keine sind, zum Beispiel im Mond.

Ekman und sein Kollege Wallace Friesen untersuchten sieben Jahre lang alle Kombinationen der 43 Gesichtsmuskeln und filterten diejenigen heraus, die für uns Menschen eine Bedeutung haben. Darunter waren 60 Varianten sich zu ärgern und 18 Arten freudig zu lächeln – aus Erleichterung, Verwunderung, Dankbarkeit, Schadenfreude, Vorfreude oder vor Aufregung.

Denn auch das fanden Ekman und Friesen heraus: Obwohl die Mimik angeboren ist, setzen wir sie für Täuschungsmanöver ein. Schon Babys im Alter von zehn Monaten beherrschen den Unterschied von echter und falscher Mimik. Lange bevor sie wissen, was eine Lüge ist. Die verstehen Kinder erst mit fünf Jahren. Einen Fremden lächeln die Babys begütigend an. Der Mund grinst, doch die Augen bleiben kühl. Dahinter steckt eine instinktive Überlebensstrategie: Stimme dir den überlegenen Fremden freundlich, aktiviere seinen Beschützerinstinkt.

Tritt jedoch die Mama in sein Blickfeld, strahlt die Freude über beide Pausbäckchen. Die Maske, die wir aus taktischem Kalkül auf unser Gesicht legen, unterscheidet sich von der echten Empfindung. Demnach sollte es nicht schwer fallen, Heuchler von Aufrichtigen zu unterscheiden.

Wie gut können wir Lügner durchschauen?

An Anleitungen, wie man Schwindler erkennt, mangelt es nicht. Die wichtigsten Tipps der Experten, worauf Sie achten sollten:

- leises Kopfschütteln, obwohl der Sprecher mit Worten zustimmt,
- kurzes Aufzucken der Augenbrauen,
- eine Mimik, die länger als vier Sekunden gehalten wird,
- eine Mimik, die sich asymmetrisch aufbaut, also der linke Mundwinkel fängt kurz vor dem rechten an zu lächeln (bei Linkshändern umgekehrt),
- eine verzögerte Mimik – echte Gefühle erscheinen schlagartig im Gesicht,
- Widersprüche in der Körpersprache, zum Beispiel lächelnde Zustimmung und gleichzeitig nervöse Finger- oder Fußbewegungen,
- Mikroausdrücke – für etwa eine Fünftelsekunde blitzen Elemente einer Mimik auf, die zum Gesagten im Widerspruch stehen, zum Beispiel wenn während einer Beileidsbekundung ein kurzes Grinsen über die Mundwinkel huscht,
- zu hohes und schnelles Sprechen oder im Gegenteil betont langsame und tiefe Stimme,
- Vermeidungssignale wie Blickabwendung oder -unruhe,
- unpersönlicher Sprachstil – der Sprecher sagt häufig »man«, »jemand« und »wir«, aber selten »ich«, »du«, »er« oder »sie«,

- häufiger Gebrauch von Sprachverstärkern – etwas sei »wirklich« oder »echt« wichtig.

Die Forscher baten Studenten, vor der Kamera ihre Überzeugung zu einem emotionsbeladenen Thema wie Todesstrafe oder Abtreibung darzulegen. Die einen erhielten die Anweisung, ihre wahre Meinung zu sagen. Die andern sollten genau das Gegenteil von dem erzählen, was sie wirklich glaubten. Diese Videobänder spielten die Forscher Studenten und dann Experten vor, die von Berufs wegen einen scharfen Blick für Übeltäter benötigen. Zum Beispiel Polizisten, Zöllner, Richter, Psychologen, Sozialarbeiter, Lehrer oder Ärzte. Das Ergebnis war ernüchternd. Die höchste Trefferquote erzielten Geheimdienstagenten mit 64 Prozent, die geringste Collegestudenten mit 52 Prozent. Psychologen lagen zu 57, Polizisten zu 55 Prozent richtig. Sie alle schätzten ihre Fähigkeit, Lügner zu entlarven, weitaus höher ein als sie tatsächlich war. Da es nur zwei Antwortmöglichkeiten gab – gelogen oder wahr –, hätte mit einfachem Raten ihr Ergebnis auch bei 50 Prozent gelegen.

Wie erlangt man einen unbestechlichen Blick?

Es genügt nicht, viel über verräterische Signale zu wissen. Die Anzeichen, die einen Lügner enttarnen, sind viel zu flüchtig. Sie werden sofort wieder von anderen, harmlosen Signalen überdeckt. Außerdem sind sie mehrdeutig. Wer den Kopf schüttelt, obwohl er ja sagt, muss nicht unbedingt schwindeln. Vielleicht wundert er sich nur, dass man ihm überhaupt so eine Frage stellt. Angst im Gesicht braucht kein Anzeichen für verschwiegene Schuld zu sein. Genauso gut kann der Angeklagte fürchten, es könnte ihm nicht gelingen, seine Unschuld zu beweisen. Gerade wer nach der Wahrheit bohrt, wird leicht getäuscht, weil das Gegenüber anfängt, Blickkontakt aufzunehmen und Aufrichtigkeit in die Stimme zu legen.

Ein weiteres Problem ist die Sprache. Eine überzeugende Rede kann leicht die Zweifel, die eine unsichere Mimik weckt, wieder wettmachen. Die besten menschlichen Lügendetektoren sind keine hochtrainierten Verhörspezialisten, sondern Aphasiepatienten. Das sind Kranke, die durch einen Schlaganfall oder eine Verletzung eine Schädigung der linken Hirnhälfte erlitten und dadurch ihr Sprachvermögen einbüßten. Nancy Etcoff, Psychologin am Massachusetts General Hospital, sagte: »Seit den zwanziger Jahren gibt es Anekdoten von Aphasiepatienten, die Lügner sofort enttarnten. Aber das Phänomen ist nie wissenschaftlich untersucht worden.« Ihre Patienten entdeckten Schwindler mit einer Genauigkeit von immerhin 73 Prozent. Wem das Sprachvermögen abhanden kam, unterliegt nicht der Verführung durch Worte. Er urteilt nur aufgrund von Mimik, Gesten und Stimmfärbung.

Dennoch finden sich auch unter den Gesunden immer wieder einzelne Genies der Menschenbeurteilung. Ihnen gelingt mit traumhafter Sicherheit, Wahrheit von Lüge zu scheiden. Den Ersten traf Paul Ekman Ende der sechziger Jahre, den Psychologen Silvan Tomkins, Professor in Princeton. Er bewies dem jungen Ekman an den Filmaufnahmen aus Papua-Neuguinea, dass man tatsächlich an flüchtigen Signalen im Gesicht ehrliche von bösen Absichten unterscheiden kann. Die amerikanischen Forscher fanden inzwischen einige weitere Personen mit diesem Talent. Sie unterscheiden Lügner von Aufrichtigen mit einer Trefferquote von über 80 Prozent. Unter ihnen waren einige Polizisten aus Kalifornien, über deren Intuition unter den Kollegen verblüffende Geschichten kursieren. Etwa ein Sheriff, der auf einen Mann schoss, weil er ahnte, dass der unter seinem Mantel eine schwere Waffe trug. Ein anderer drückte nicht ab, obwohl ein Jugendlicher auf ihn anlegte. Woran erkannten sie, ob ihre Gegner es ernst meinten oder nur blufften? Die Könner verfügen über keinen siebten Sinn. Sie achten lediglich genauer auf die winzigen Unstimmigkeiten in der Körpersprache, die alle Übrigen normalerweise übersehen. Noch ist unklar, ob man diese Fähigkeit trainieren kann. Zwar veranstalten die Amerikaner seit Jahren Kurse, aber ob sich die Übungen später im Ernstfall bewähren? Die Forscher aus San Francisco vermuten, dass echtes Talent aus der frühen Kindheit stammt. Die begabten Polizisten wuchsen unter schwierigen Bedingungen auf. Vielleicht war die Fähigkeit, in den Gesichtern launischer Erwachsener zu lesen, für sie überlebenswichtig. Doch Tausende, deren erste Lebensjahre ebenfalls nicht einfach waren, entwickelten diese Gabe nicht.

Die Lügen vertrauter Personen durchschauen wir leichter. Es genügt, dass sie einmal die Wahrheit gesagt haben. Schon entwickeln wir ein Gespür für ihre unbewussten Signale. Was auch die Forscher darüber eines Tages noch herausfinden werden – eines ist sicher: Wir können besser selber lügen als Lügen anderer durchschauen. Dieses Ungleichgewicht, das Schwindlern einen Vorteil gewährt, ist ein Rätsel, eine merkwürdige Ausnahme von der Regel. Denn die Natur hält normalerweise die Gegenspieler in einer Balance.

Was wir von Vögeln und Fliegen lernen können

Es ist Sommer. Sie liegen auf einer Wiese und lassen sich von der Sonne verwöhnen. Sie blinzeln ins Licht – und schlagen erschrocken um sich. Genau über Ihnen schwebt ein Insekt, dessen Leib die schwarzen und gelben Bänder einer Wespe ziert. Aber es brummt gar nicht wie eine Wespe. Es steht scheinbar still und bewegungslos über Ihnen und Sie erkennen auf den zweiten Blick: nur eine harmlose Schwebfliege.

Diese Art der Tarnung nennen die Evolutionsbiologen Mimikry. Sie erklären uns, warum die Fliege wie eine gefährliche

Wespe aussieht. Ihre Vorfahren sahen aus wie Stubenfliegen, einfarbig schwarz und eine leichte Beute für Vögel. Doch Fliegen vermehren sich in großer Zahl und unter ihnen treten immer wieder Mutationen auf, die ein abweichendes Farbmuster zeigen. Kamen Varianten mit gelben Flecken vor, wichen die Vögel vor ihnen zurück. Sie ähnelten zu sehr den stechenden Wespen. Die Folge war: Die Schwarzen wurden gefressen, die Gelbgetupften überlebten. Als es auf den Wiesen nur noch Gelbgetupfte gab, ging den gefiederten Jägern die Nahrung aus. Was sie zwang, genauer hinzuschauen. Bei den Vögeln fanden diejenigen mehr Futter, die es schafften, im Vorbeifliegen den Unterschied zwischen Wespen und gelbgetupften Fliegen zu erkennen. Damit brach eine neue Runde des Wettrüstens aus. Jetzt überlebten nur die Fliegen, deren Flecken in Ringen angeordnet waren, die übrigen wurden gefressen. Wieder mussten die Vögel ihr Unterscheidungsvermögen verbessern. Was letzten Sommer über Ihren Augen schwebte, ist der momentane Status quo, den der Wettlauf zwischen Mimikry und Enttarnung erreicht hat.

Stubenfliegen benötigten diese Tarnung nicht. Denn in unseren Zimmern sind räuberische Vögel eher selten anzutreffen. Stattdessen optimierten sie ihre Fähigkeit, selbst der schnellsten Menschenhand noch rechtzeitig zu entkommen. Mimikry ist ein unbewusster Betrug. Die kleine Schwebfliege mit dem Wespenmuster besitzt ja nicht einmal ein Gehirn, sondern nur Knoten von Nervenzellen, so genannte Zentralganglien. Sie wäre gar nicht in der Lage, Unterschiede zwischen sich und einer Wespe zu erkennen und gezielt zu verringern. Dennoch findet ein Wettrennen zwischen Räuber und Beute statt, in dessen Verlauf Schwebfliegen und Vögel ihre Fähigkeiten verbessern. Die Evolution macht es möglich. Die einen tarnen sich immer raffinierter, die anderen kommen ihnen immer schneller hinter die Schliche.

Aber Mimikry dient nicht nur der Tarnung, also der Abwehr

von Feinden. Manche Lebewesen gebrauchen sie, um zu verführen. Sogar uns Menschen. Trüffel nutzen diese Technik. Die unterirdisch wachsenden Pilze dünsten Androstenon aus, ein männliches Hormon, dessen chemische Formel für Fliegen, Schweine, Hunde und Menschen dieselbe ist. Aus diesem Grunde setzen Sammler weibliche Schweine und Hunde ein, um die kostbare Ware aufzuspüren. Ihr Geruch verführt Säugetiere, die Pilze aus dem Boden zu holen und ihnen so unwissentlich zu helfen, ihre Sporen weiterzutragen. Weil der Pilz so selten und sein Duft so verführerisch ist, erzielt er Preise, mit denen höchstens ein rarer Jahrgangswein mithalten kann.

Unsere Mimik ist angeboren, also ebenfalls ein Produkt der Evolution. Da zwischen echtem und falschem Lächeln ein sichtbarer Unterschied besteht, müsste der gleiche Anpassungsprozess in Gang kommen wie zwischen Fliege und Vogel. Etwa so: Zuerst übernehmen wir die Rolle der Vögel. Wir lernen, genauer auf die Miniaturbewegung der Augenwinkel zu achten, bis jedermann auf den ersten Blick falsche Freundlichkeit von echter trennen kann. Daraufhin schlüpfen wir in die Rolle der Fliegen. Wir gleichen beide Gesichtsausdrücke einander weiter an, bis die Tarnung wieder funktioniert. Was uns wiederum zwingt, noch genauer hinzuschauen.

Doch in der Praxis ist der Wettlauf längst entschieden. Die Tarnung hat den Sieg davongetragen. Die Entlarvung hat verloren. Echt oder falsch? Wer Lügner enttarnen will, ist auf das Raten angewiesen. Dafür gibt es nur eine Erklärung. Die Fähigkeit zu täuschen, muss für uns von Vorteil sein. Die Fähigkeit, Täuschung zu durchschauen, jedoch von Nachteil.

Warum ist es gut, belogen zu werden?

Nach der Meinung von Moralphilosophen und Theologen hat die Erziehung den Wettkampf zwischen Tarnung und Ehrlichkeit abgeschafft. Spätestens in dem Alter, in dem Kinder verstehen, was eine Lüge ist – also mit fünf Jahren –, trichtern ihnen die Eltern das achte Gebot ein: »Du sollst nicht falsch Zeugnis reden wider deinen Nächsten.« Die Ehrlichen haben sich verbündet und Gesetze gegen Betrüger erlassen. Wer im Trüben fischen will, wird von der anständigen Mehrheit und ihrer Justiz auf den Weg der Tugend zurückgeführt.

Der Ehrliche ist gut, der Unehrliche böse und wird bestraft? Auch die Moralapostel geben zu, dass dieses Happy End eher im Märchen vorkommt als im echten Leben. Deshalb mahnen sie zur moralischen Rückbesinnung. Die Verhaltensforscher entdeckten jedoch, warum die Moral in der Praxis so selten über die täglichen Verlockungen siegt. Ohne unsere kleinen Mogeleien wären wir nicht lebensfähig. Der Mensch braucht die Lüge genauso nötig wie Luft und Wasser. Nehmen wir eine Frau, die ihren Mann fragt: »Betrügst du mich?« Will sie es wirklich wissen? Selbst wenn sie sein »Nein« nicht glaubt – tief im Innern hofft sie, dass seine Antwort stimmt.

Mentiologen – so nennen sich Wissenschaftler, die Lüge und Betrug zu ihrem Forschungsgegenstand erhoben – haben die Zahl der Schwindeleien in harmlosen Alltagsgesprächen gemessen. Robert Feldman von der Universität Massachusetts forderte Studenten auf, sich mit einer fremden Person zu unterhalten, um ihr einen sympathischen und kompetenten Eindruck zu vermitteln. Eine Situation, die zum Beschönigen verführt. Ihr Smalltalk wurde aufgezeichnet. Anschließend schauten sie sich gemeinsam die Bänder an. Wie wahrhaftig war die Selbstdarstellung? Sechzig Prozent gaben schließlich zu, innerhalb von zehn Minuten wenigstens einmal gelogen zu haben. Am meisten wunderte sich darüber nicht der Forscher, sondern die Studenten selbst. Es war ihnen während ihrer Unterhaltung nicht aufgefallen.

Der Psychologe Jeff Hancock von der Cornell-Universität im amerikanischen Ithaca untersuchte, in welchen Situationen wir am meisten lügen. Spitzenreiter waren Telefonanrufe. Siebenunddreißig Prozent enthielten mindestens eine Lüge. Bei Gesprächen von Angesicht zu Angesicht lag die Quote bei 27, in E-Mails nur bei 14 Prozent. Das war eine Überraschung. Hancock hatte erwartet, dass in der distanzierten und oftmals anonymen Kommunikationsform der Internetpost die meisten Unwahrheiten vorkommen. Doch die Angst, in den auf Computer abgespeicherten Mails später als Lügner überführt zu werden, macht die Schreiber vorsichtig. Auch die Blickkontrolle der Gesichtszüge beim direkten Gespräch lässt Schwindler zögern. Nur am Telefon entfallen diese Hemmungen.

Höflich oder lieber ehrlich?

Bis zu 200-mal schwindeln wir pro Tag, ermittelte der amerikanische Psychologe John Frazer. Manch schweigsamer Zeitgenosse zweifelt vielleicht, ob er überhaupt so oft den Mund öffnet. Doch in einem einzigen Satz stecken unter Umständen gleich mehrere Unwahrheiten. Beobachten wir die frischgebackene Ehefrau Sonja nach dem Aufwachen.

»Guten Morgen, Schatz, gut geschlafen?«

»Prima«, antwortet Sonja, »und du?«

Zack – zweimal gelogen. Erstens will sie ihm nicht vorwerfen, dass er sie mehrmals in der Nacht mit Rippenstößen weckte. Schließlich kann er nichts für seinen unruhigen Schlaf. Und zweitens ist ihr Interesse an seiner Nachtruhe vorgetäuscht. Sie hofft, er verkneift sich die Antwort. Sie weiß ja, wie herrlich ausgeruht er jeden Morgen erwacht. Wenn sie nur einmal so durchschlafen könnte!

»Ist dir der Kaffee stark genug?«, fragt ihr Mann weiter. »Der Erdbeerjoghurt ist alle, ich hab uns eine Schale Müsli gemacht, okay?«

Sie antwortet zweimal mit Ja. Zack – wieder zweimal gelogen. Aber was soll sie sich beschweren, es ist ja lieb, dass er das Frühstück macht. Obwohl – da sie nachts wegen ihm mehrmals hochschreckte, ist das wohl das Mindeste an Wiedergutmachung, was sie verlangen kann.

Lügen wegen gegenseitiger Rücksichtnahme können zu merkwürdigen Ritualen führen. Etwa, wenn er seiner Frau das Kantenstück vom frisch angefangenen Brot zuschiebt, weil er denkt, sie mag es so gern wie er. Sie verabscheut es, isst es aber, weil sie vermutet, er hasse es noch mehr als sie. Beide nehmen eine Entbehrung auf sich, weil sie einander aus Höflichkeit ihre wahren Bedürfnisse verschweigen.

Überspringen wir Sonjas restliches Morgenritual und schwenken wir direkt in ihr Büro. Alle Kollegen fragen als Erstes »Wie geht's?«, und allen antwortet sie »großartig«, was wieder gelogen ist. Und zugleich wahr. Ihre unterschwellige Botschaft lautet: »Ich mag zwar nicht so gut drauf sein, aber ich bin bereit, meinen Job zu erledigen.«

Weshalb 100 Prozent Ehrlichkeit nicht zu ertragen sind

In diesem Stil macht Sonja den restlichen Tag weiter. Sie tröstet eine Freundin, die unter Liebeskummer leidet, mit aufmunternden Sprüchen, an die sie selbst nicht so recht glaubt. Später ruft ihre Mutter an, und Sonja behauptet, mit ihrem Mann »wahnsinnig glücklich« zu sein. Sie verspricht die Eltern bald zu besuchen und denkt im selben Moment schon über Ausreden nach, um der Verpflichtung zu entgehen. Am Abend fragt Sonjas Mann, wie ihr Tag war. Sie verschweigt die eine Hälfte und beschönigt die andere. Dazu kommen während des Tages ein Dutzend kleine Bequemlichkeitsschwindeleien wie:

• »Haben Sie es nicht kleiner?« – »Leider nicht.«

- »Kollegin, hast du ein paar Minuten Zeit für mich?« – »Tut mir Leid, ich muss dringend diese Analyse beenden, ich bin schon im Rückstand.«
- »Können Sie mir helfen, Luft auf meine Reifen zu pumpen? Ich hab mir vorhin irgendwie die rechte Hand verstaucht.«

So kommen selbst an einem durchschnittlichen Tag über hundert Lügen zusammen. Dennoch wird Sonja von sich behaupten, ein ehrlicher und aufrichtiger Charakter zu sein. Zu Recht, denn die anderen aufrechten Menschen verhalten sich wie sie. Und das mit gutem Grund.

Stellen wir uns einmal vor, Sonja würde von nun an kein Blatt mehr vor den Mund nehmen. Der Ehemann fragt noch einmal am Morgen: »Hast du gut geschlafen?«

»Nein« entgegnet sie. »Du hast mir mehrfach den Ellenbogen in die Rippen geboxt. Du weißt, wenn ich erst einmal wach bin, kann ich lange nicht wieder einschlafen.«

»Das tut mir Leid«, antwortet er. »Ich dagegen habe ...«

»Du brauchst mir nicht jeden Morgen vorzuschwärmen, wie toll du schläfst!«, schneidet sie ihm das Wort ab.

»Wie du meinst«, sagt er beleidigt.

Die Fragen, ob der Kaffee stark genug ist und ob sie Müsli statt Joghurt nimmt, verkneift er sich. Aber halt – Sonja ist ja ehrlich. Sie sagt es ihm also trotzdem: »Wieso ist der Kaffee so dünn? Und wo ist eigentlich mein Lieblingsjoghurt?« Seine Antwort: »Weißt du was? Wenn dir mein Frühstück nicht gut genug ist, machst du es dir ab morgen früh selber.«

Das hat sie nun von ihrer Ehrlichkeit, denkt sie verbittert. Im Büro weiß man ihre neue Aufrichtigkeit hoffentlich besser zu schätzen. Als ihr erster Kollege sie fragt »Wie geht's?«, antwortet sie: »Also gesundheitlich recht gut. Ich bin nur nicht richtig ausgeschlafen. Weißt du, wenn mein Mann sich nachts im Schlaf wälzt ...« Der Kollege beginnt nervös mit seinem Kugelschreiber zu spielen. Was schwätzt die da? Habe ich mich nach ihren Bettgeschichten erkundigt? Als er endlich zu seinem Computer flüchten kann, nimmt er sich vor, sie in Zukunft nur noch mit einem knappen Nicken zu begrüßen.

Das Schmieröl der Alltagsdiplomatie

Unser soziales Netzwerk ist ein zerbrechliches Gebilde. Jeder unserer Bekannten trägt seine Achillesferse an einer anderen Stelle. Wir berücksichtigen die Befindlichkeit eines jeden und passen ihr die Wahrheit an. Wir nennen solche Umgangsformen »Die Kunst der Diplomatie«. Damit rechnet auch der Zuhörer. Er erwartet gar keine schonungslose Offenheit. Die Grußfrage »Wie geht's?« soll lediglich den Kontakt wieder aufnehmen. Der Fragende will keine ausführliche Darstellung des Gesundheitszustandes hören. Er möchte sich nur vergewissern: »Können wir dort anknüpfen, wo wir beim letzten Mal aufgehört haben?« Wer etwas anderes antwortet als »Danke, gut« hat entweder einen Dachschaden oder ausnahmsweise so ernste Probleme, dass er dringend Trost benötigt.

Die Unfähigkeit, hinter unsere höflichen Masken zu schauen, dient also dem Selbstschutz. Sie vermittelt die wohltuende Illusion, ungefähr genauso zu denken und zu fühlen wie unsere Nächsten. Wüssten wir genau, was in ihren Köpfen vorgeht – oje! Unsere Gemeinschaft würde auseinander brechen. Dafür nehmen wir sogar das Risiko auf uns, einen Menschen zu heiraten, zu dem sich nach längerem Zusammenleben tiefe Gräben auftun. Es fällt uns leichter, uns mit flüchtigen Bekannten zu vertragen. Wir fetzen uns nur mit nahe stehenden Personen.

Frauen gelten als die besseren Lügendetektoren, weil sie eine Antenne für Gefühle und Körpersprache haben. Das liegt aber zum Teil an den Männern. Sie schwindeln 20 Prozent mehr und geben sich weniger Mühe, ihre Übertreibungen zu tarnen. Deshalb werden sie öfter ertappt. Ein untreuer Mann verrät sich eher als eine untreue Frau. Vor den Videobändern der Forscher waren jedoch beide Geschlechter in gleichem Maße auf das Raten angewiesen. Wie kommt das? Zeigt man Filme ohne Ton – zum Beispiel von einem Paar, das sich unterhält –, erraten Frauen fast doppelt so oft wie Männer die richtige Bedeutung der Körpersprache. Doch schaltet man den Ton dazu, verschwindet der weibliche Vorsprung. Frauen schauen zwar genauer hin, sind aber auch eher bereit, sich von beschönigenden Worte täuschen zu lassen. Als das sprachlich begabtere Geschlecht sind sie empfänglich für gut formulierte Gefühle. Wenn der Mann sagt »Ich liebe dich«, will sie ihm gern glauben. Sie registriert zwar den abgewendeten Blick und das nervöse Zucken seiner Finger und Mundwinkel, möchte aber in diesem seligen Augenblick nicht weiter darüber nachdenken.

Warum Filmheldinnen so schön aussehen, wenn sie weinen

Im Kino der großen Gefühle haben Sie es sicher schon öfter bemerkt: Es gibt nichts Bewegenderes als eine Frau, die weint. Nehmen Sie das Ende aus »Vom Winde verweht«, Romy Schneider als Sissy oder einen der neueren Liebesfilme wie »Pretty Woman« – immer rühren uns die Tränen der Filmheldinnen selbst zu Tränen. Warum sehen die Mädchen in den Leinwanddramen so verführerisch aus? Im echten Leben brauchten sie, während sie weinen, nur einmal in den Spiegel zu schauen, und der Tränenstrom würde sich verdoppeln. O Gott, sehe ich hässlich aus! Die Haut und die Lider schwellen an, die Augen rot, die Nase läuft. Kein Wunder, dass mich keiner leiden mag. Warum kann ich in meinem Leid nicht so gut aussehen wie Julia Roberts?

Sehr einfach. Die Schauspielerinnen sind nicht wirklich

traurig, wenn sie weinen. Sie haben trainiert, auf Kommando ihre Tränen fließen zu lassen. Dafür nutzen sie eine spezielle Atemtechnik. Selbst wenn ihnen das mal nicht gelingen sollte – die Maskenbildner liefern künstliche Tränen aus Glycerin. Daher sehen wir einerseits Tränen, andererseits aber einen gelösten Gesichtsausdruck, manchmal sogar den Ansatz eines Lächelns. Da wir aber schon im realen Leben bereit sind, uns von einer aufgesetzten Miene täuschen zu lassen, genügen im Film erst recht ein paar falsche Tränen, um echtes Mitleid zu wecken.

Doch auch im Leben der Hollywoodstars gibt es manchmal echte Tränen. Zum Beispiel, wenn sie den Oscar gewonnen haben. Das sind dann Freudentränen. Doch seltsam – ihr Gesicht sieht nun exakt genauso aus wie im Film, als sie das verlassene Opfer spielten. Tränen genügen als Schlüsselreiz, und wir fühlen mit ihnen.

Wir wollen gar nicht so genau wissen, wie sie zustande kommen. Denn dann müssten wir erkennen, dass Tränen kein Beweis für starke Gefühle sind. Frauen weinen im Schnitt viermal so oft wie Männer. Haben sie auch viermal so starke Gefühle? Wenn es nur so einfach wäre! Ob wir leicht oder schwer auf Kränkung und Kummer mit Tränen antworten – unser individuelles Maß haben wir als Kleinkinder gelernt. Schon Darwin beobachtete, dass Neugeborene überhaupt noch nicht weinen. Sie schreien nur. Auch so genannte Wolfskinder – menschliche Kinder, die von den Eltern verlassen allein in der Wildnis aufwachsen – lernen weder zu weinen noch zu lachen. Beide Fähigkeiten bilden sich im sozialen Zusammenleben heraus. Zu Anfang sondert das Auge Tränen nur bei körperlichem Schmerz ab. Erst im engen mütterlichen Kontakt lernt das Baby auch auf seelisches Leiden mit Tränen zu reagieren. Und dann dauert es noch einmal eine Weile, bis das Kind lernt, auch bei fremdem Leid zu weinen.

Es gibt Tränen ohne Gefühle – zum Beispiel, wenn sie

willentlich erzeugt werden –, aber auch starke Gefühle ohne Tränen. Das zeigen folgende Fakten:

- Traurige Menschen weinen viel. Dagegen weinen Menschen, die starke Ängste fühlen, nicht. Auch chronisch Depressive weinen weniger als Gesunde. Der Psychologe Jonathan Rottenberg beobachtete diesen Mangel an Tränen bei seinen Patienten, als er ihnen Szenen aus dem traurigen Film »The Champ« von 1979 zeigte.
- 20 Prozent aller Männer und eine kleine Anzahl Frauen weint niemals. Das bedeutet aber nicht, sie hätten weniger Gefühle. Sie drücken sie nur auf andere Weise aus, zum Beispiel in Wutanfällen oder gekränktem Schweigen.
- Wer keine andere Möglichkeit hat, seine Gefühle auszudrücken, weint häufiger. Eine Studie an einer französischen Einrichtung für hörgeschädigte Kinder ergab, dass sie siebenmal so oft weinen wie Kinder ohne Behinderung.
- Weibliche Tränen haben eine andere Beschaffenheit als männliche. Sie enthalten eine größere Menge des Proteins Prolaktin. Bis zur Pubertät und nach den Wechseljahren weinen Frauen nicht viel mehr als die Männer. Nur in den mittleren Jahren herrscht Tränen-Über-Fluss. Im wörtlichen Sinne. Er schwemmt nach außen, was von diesem an der Milchbildung beteiligten Hormon nicht benötigt wird. Bei zu viel Prolaktin würde der Eisprung ausfallen und damit auch eine mögliche Befruchtung. Während die Tränen fließen, entsorgt der Körper außerdem angesammelte Stresshormone. Das könnte ein Grund für die höhere Widerstandskraft des weiblichen Geschlechts bei Belastungen sein.

Warum Schönheit mächtiger ist
als Intelligenz

Die Phantasie ist wichtiger als Wissen.

Albert Einstein

Die Phantasie vermöchte nie so viele
Verkehrtheiten zu erfinden, als von Natur im
Herzen jedes Menschen liegen.

La Rochefoucauld

Der alternde Pauker Professor Raat – Spitzname »Unrat« –
tyrannisiert jahrzehntelang seine Schüler. Eines Tages verfolgt
er einen Gymnasiasten, den er besonders auf dem Kieker
hatte, in das Etablissement »Blauer Engel« und verfällt dort
den Reizen der Tingeltangel-Sängerin Rosa Fröhlich. Sie lässt
den Professor zappeln und unterwirft ihn nach und nach ihren
Launen. Damit beginnt sein Abstieg von der moralischen In-
stanz zur Spottfigur. Er verliert seinen Job und landet schließlich im Gefängnis.

Diese Geschichte vom Sieg leichtlebiger Schönheit über
Bildung und Intelligenz wählte 1929 die UFA als Stoff für ihren ersten Tonfilm. »Der blaue Engel« schrieb Filmgeschich-
te. Heinrich Mann grämte sich, dass die »zwei reizenden
Gliedmaßen« der Marlene Dietrich dem Film mehr Ruhm
einbrachten als seine literarische Vorlage. Dabei war er selbst
der Verführung erlegen. Fünfzehn Jahre lang lebte er mit Nel-
ly Kröger zusammen, einer ungebildeten, aber leidenschaft-
lichen Schönheit mit vulgären Umgangsformen. »Das Weib
betrunken, laut und frech ... machte mich krank«, notierte
sein Bruder Thomas Mann nach einem Besuch der beiden in
seinem Tagebuch.

Ist die Verführbarkeit durch Schönheit nur eine Charakterschwäche?

Die Grenzen der Intelligenz

Der englische Mathematiker Alan Turing galt schon vor dem Zweiten Weltkrieg als Genie. In einem brillanten Aufsatz zeigte er, dass Intelligenz alle Dinge bis ins kleinste Detail durchdringen kann – mit einer wichtigen Ausnahme. An sich selbst scheitert sie. Will sie ihr eigenes Verhalten voraussagen, gerät sie in eine unendliche Schleife, wie ein Computer, der abgestürzt ist. Ein einfaches Beispiel zeigt das Dilemma. Ein Denker führt einen inneren Dialog mit sich selbst.

»Bin ich von mir überzeugt?«

»Vermutlich ja.«

»Vermutlich? Ich bin also nicht völlig überzeugt, dass ich von mir überzeugt bin?«

»Vielleicht nicht.«

»Ich müsste mich also überzeugen, dass ich überzeugt bin, überzeugt zu sein?«

»Ja, aber wie?«

»Na, indem ich mich überzeuge, ob ich überzeugt bin, dass ich ...«

Und so weiter.

Eine solche Gedankenkette erscheint uns absurd. Entweder beendet man die Grübeleien und entschließt sich zu handeln. Oder man kehrt wieder zum Ausgangspunkt der Überlegungen zurück und versucht, sich weitere Informationen zu verschaffen.

Der Zweite Weltkrieg unterbrach zunächst Turings Karriere. Der britische Geheimdienst teilte ihn einer Arbeitsgruppe mit der Aufgabe zu, den Code der legendären »Enigma« zu knacken. Das deutsche Oberkommando benutzte diese Maschine, um einen ständig wechselnden Geheimcode zu erzeugen, mit dem die Militärs ihre Befehle an ihre U-Boote weitergaben. Als auf einmal massenweise britische Schiffe durch das deutsche U-Boot-Netz schlüpften, vermuteten die Deutschen Spione in den eigenen Reihen. Ihre »Enigma« hielten sie für so sicher, dass sie nie geglaubt hätten, es könnte Turing und seinen Kollegen gelungen sein, ihre verschlüsselten Botschaften zu enträtseln.

Woran wir Menschen unsere Mitmenschen erkennen

Nach dem Krieg nahm Turing seine Arbeit wieder auf und entwickelte einen berühmten, nach ihm benannten Test. Woran erkennt man, ob ein Computer über Intelligenz verfügt? Turing empfahl: Geben Sie den Leuten eine Tastatur und einen Monitor, um Fragen zu stellen. Wenn das Wesen, das Ihnen Antworten auf den Bildschirm sendet, wie ein Mensch auf Sie wirkt – dann verdient es den Namen »Intelligenz«. Egal, ob es tatsächlich ein Mensch oder nur eine Maschine war, was aus dem Versteck hinter einem Vorhang antwortete.

Was macht den Menschen einzigartig? Zweitausend Jahre lang hieß es: Seine Sprache und sein Geist. Der Turing-Test wirft diese Vorstellung über den Haufen. Auf einmal schienen Computerprogramme möglich zu werden, die unser Bewusstsein täuschend echt nachahmen können. Ein Amerikaner deutscher Abstammung, Joseph Weizenbaum, hat so ein Programm entwickelt. »ELIZA« imitiert einen Psychotherapeuten, indem es aus den Eingaben des »Patienten« Reizwörter herausfischt und aus ihnen Fragen und verständnisvolle Kommentare bildet. Selbst Fachleute, die wussten, dass sie es nur mit einem Computer zu tun hatten, ertappten sich dabei, wie sie nach ein paar Minuten anfingen, der Maschine von ihren Sorgen zu erzählen.

Was können Sie unter solchen Umständen tun, um Mensch

und Computer voneinander zu unterscheiden? Sehr einfach: Den Vorhang beiseite ziehen und Ihren Gesprächspartner anschauen! Steht da eine Blechkiste oder ein Körper aus Fleisch und Blut? Selbst wenn Computer besser rechnen, Schach spielen und schneller Texte übersetzen können als wir – der Körper bewahrt das typisch Menschliche. Damit haben wir die Antwort auf die Grundfrage dieses Buches gefunden: Warum faszinieren uns Äußerlichkeiten? Weil nur sie uns letztlich verraten, wen wir vor uns haben.

Denken Sie nur an die Lieblingsfrage aller Verliebten: »Liebst du mich?« Wenn der Partner »Ja« sagt – werden Sie ihm glauben? Woran erkennen Sie seine Vertrauenswürdigkeit? Wenn Sie nachfragen »Stimmt es, dass du mich liebst?«, geraten Sie in Turings Sackgasse. Auf die dritte Ebene seiner unendlichen Schleife – »Stimmt es, dass es stimmt, dass du mich liebst?« – kann sich schon niemand mehr begeben, ohne sich lächerlich zu machen. Das hat auch keiner nötig. Wir vertrauen anderen Signalen. Dem Lächeln der geliebten Person, ihrer Umarmung, ihren Aufmerksamkeiten. Also Äußerlichkeiten, die rascher überzeugen als lange Dialoge.

Wie verlässlich ist die intuitive Menschenkenntnis?

Bleibt die Frage: Wie vertrauenswürdig sind diese Äußerlichkeiten? Verraten sie uns wirklich, was in unseren Mitmenschen vorgeht? Zum Erstaunen der Forscher – ja! Schüler sollten in einer Studie von Robert Rosenthal und Nalini Ambady anhand von kurzen Filmausschnitten vorhersagen, wie gut der Unterricht der gefilmten Lehrer bei ihnen ankommen würde. Ihre Bewertungen stimmten in hohem Maße mit den Einschätzungen anderer Schüler überein, die bei diesen Lehrern tatsächlich ein Jahr Unterricht erlebt hatten.

Die höchste Trefferquote liefert die Mimik. Über 90 Prozent der Beobachter schätzen die Gefühle der Gesichter richtig ein. Bei anderen Körpermerkmalen liegt die Quote etwas niedriger, erreicht aber immer noch 60 bis 70 Prozent. Das ist deutlich mehr als bloßes Zufallsraten. Ein Persönlichkeitsfragebogen, wie ihn professionelle Psychologen verwenden, erreicht auch kein besseres Ergebnis.

Einigen wenigen Menschen fehlt die Fähigkeit, Gesichter zu erkennen und ihren Ausdruck zu deuten. Diese Gesichtsblindheit – der Fachbegriff lautet Prosopagnosie – beruht auf einer Fehlbildung in der rechten Hirnhälfte und gilt als ernste Krankheit. Sie ist ererbt oder die Folge von Unfällen. Wer an ihr leidet, erkennt seine Verwandten, Freunde und Nachbarn nicht. Es sei denn, sie identifizieren sich durch ihre Stimme, typische Kleidung oder ihren Aufenthaltsort. Gerade weil uns die Fähigkeit, in Gesichtern zu lesen, so selbstverständlich erscheint, können wir uns kaum ausmalen, wie sehr ihr Fehlen unser Leben beeinträchtigen würde. Stellen Sie sich vor, Sie laufen durch Ihre Stadt, und alle Menschen sehen wie eineiige Zwillinge mit versteinerter Mimik aus. Dann tritt Ihnen einer von ihnen in den Weg, und Sie fragen sich: »Was will der von mir?« Erst als er »Hallo« sagt, merken Sie plötzlich: »Das ist ja mein Vater!«

Wir Gesunden benötigen weniger als eine halbe Sekunde, um eine Person individuell zu erkennen. Blitzschnell scannt das Gehirn Geschlecht, Alter, Schönheit und charakterliche Grundzüge. Uns unterlaufen nur wenige Irrtümer. Doch wo sie vorkommen, sind sie äußerst aufschlussreich. Vielleicht haben Sie sich schon einmal aufgrund einer Stimme am Telefon ein Bild von Ihrem Gesprächspartner gebildet. Sie hörten einen tiefen, vollen Bass und stellten sich einen breitschultrigen Riesen mit mächtigem Brustkorb vor. Dann trafen Sie ihn das erste Mal leibhaftig, und vor ihnen stand ein kleines, schmächtiges Kerlchen. Hatten Sie Mühe, Ihre Überraschung zu verbergen? Gerade Ihr Erstaunen beweist, dass ein Missverhältnis von Sprachklang und Körperbau eine Ausnahme darstellt. Kaum hat der Anrufer seinen ersten Satz gesprochen, wissen Sie schon, ob er wütend, ruhig, begeistert oder niedergeschlagen ist. Sie erahnen sein Geschlecht, sein ungefähres Alter, seinen Bildungsgrad, oft sogar seine soziale Schicht. Meistens hält auch das Aussehen, was die Stimme verspricht. Wer größer gewachsen ist, hat in der Regel auch die längeren Stimmlippen in der Kehle, was eine tiefere Tonlage ergibt. Immer öfter klagen die Musikschulen und Chorleiter über einen Mangel an Nachwuchs bei Tenören und Sopranen. Da die Menschen seit Jahrzehnten immer größer werden, nimmt der Anteil an Bass-, Bariton-, Mezzosopran- und Altstimmen zu. Die höchsten Stimmlagen beider Geschlechter sterben aus.

Wann Äußerlichkeiten Vertrauen erzeugen

Das sicherste Mittel gegen Fehleinschätzungen ist jedoch unsere Fähigkeit, viele Merkmale zugleich zu berücksichtigen. Ein einzelnes Merkmal mag von der Regel abweichen. Doch je mehr Eigenschaften ich beachte, desto zuverlässiger wird mein Urteil. Wie wir aufgrund von Äußerlichkeiten Schlüsse ziehen, zeigten die Psychologen Werner Langenthaler und Regina Maiworm von der Universität Münster. Sie baten ihre Studenten zu erraten, welche Frauen und Männer in einer fremden Gruppe als Paar zusammengehörten. Um die Aufgabe zu erschweren, traten alle Personen der Gruppe in einheitlichen Trikots auf. Die Studenten fanden öfter die richtigen Paare heraus, als es durch Zufallsraten möglich gewesen wäre. Wie war ihnen das gelungen? Sie hatten einfach ähnliche Personen zueinander gestellt. Dicke zu Dicken, Kleine zu Kleinen und gut Aussehende zu anderen gut Aussehenden. Das heißt, sie gingen intuitiv von der naiven Annahme aus, dass äußerlich

Ähnliche auch seelisch auf einer Wellenlänge liegen. Sie lagen damit in vielen Fällen richtig.

Wo Aussehen und Verhalten zueinander passen, entsteht Vertrauen. Solche Menschen finden wir sympathisch. Wir halten sie für offen und ehrlich. Wir neigen außerdem zu dem Glauben, dass sie auch von den meisten anderen gemocht werden. Auch diese intuitive Schlussfolgerung stimmt meistens. Denn andere bemerken ebenfalls ihre vertrauenerweckenden Körpersignale. Das belegte eine Studie dreier Sozialpsychologen, die 1994 in einer amerikanischen Fachzeitschrift veröffentlicht wurde.

Wer in seiner Einschätzung danebenhaut, hat oft bloß nicht genau hingeschaut. Obwohl 30 Sekunden ausreichen für ein zuverlässiges Gesamturteil. Längere Beobachtungszeit verbessert die Einschätzung nicht weiter. Spätere Informationen nutzen wir nur noch, um unseren ersten Eindruck zu bestätigen. Habe ich jemanden sofort als offenherzig und freundlich beurteilt, wird es mich sicher schockieren, von guten Freunden zu erfahren, dass er schon zweimal wegen tätlichen Angriffen vor Gericht stand. Aber, frage ich mich, vielleicht war er provoziert worden?

Wirkt er dagegen auf den ersten Blick wie ein Einschleimer, Heuchler oder Karrierist, werde ich die nachfolgende Information, dass er sich mit Spenden und ehrenamtlicher Tätigkeit in einer Hilfsorganisation engagiert, zurückhaltend aufnehmen. Ich frage mich unwillkürlich, was der Kerl damit bezweckt. Strebt er ein politisches Amt an? Will er das Finanzamt betrügen? Nutzt er das Ehrenamt aus, um billige Werbung für seine Firma zu betreiben?

Die Forscher haben Merkmalskombinationen und ihre Wirkung untersucht. Leute mit freundlichem Gesicht, breitem Lächeln und lauter, kräftiger Stimme wirken sofort aktiv, gesellig und offenherzig. Eine gerade sitzender, ruhiger Körper in gepflegter Kleidung erweckt den Eindruck von Selbstdisziplin und Loyalität. Beide Urteile sind fast immer zuverlässig. Das heißt, ein Persönlichkeitstest würde die intuitive Einschätzung bestätigen. Irrtümer unterlaufen uns am ehesten bei der Beurteilung von Brillenträgern. Wer ein Gestell auf der Nase trägt, rutscht in der Skala für Gewissenhaftigkeit und Intellektualität ein paar Punkte nach oben. Zwar lesen Intellektuelle mehr und werden daher häufiger kurzsichtig. Aber Menschen mit höherem Bildungsabschluss gehen auch häufiger in Karriereberufe, in denen sie öffentlich auftreten müssen, und greifen deshalb gern zu Kontaktlinsen. Andererseits erfordern viele andere Augenfehler auch eine Brille.

Doch Brillen erfuhren erst seit dem 19. Jahrhundert eine allgemeine Verbreitung. Unsere intuitive Menschenkenntnis ist auf sie nur ungenügend vorbereitet. Je näher jedoch ein Merkmal mit der Biologie des Körpers verknüpft ist, desto verlässlicher verrät es uns Gedanken und Gefühle.

Wer bei einem versteinerten Gesichtsausdruck auf Ablehnung, bei wabbelnden Fettmassen auf Naschsucht und mangelnde Selbstbeherrschung, bei kleinem Wuchs auf überhöhten Ehrgeiz schließt, mag sich zwar im Einzelfall mal irren. In den meisten Fällen dürfte er mit seiner Einschätzung aber richtig liegen. Vor allem, wenn weitere Auffälligkeiten den Eindruck bestätigen. Erfahrene Menschenkenner vertrauen dem ersten Eindruck auch nicht blind, sondern nehmen ihn als Anregung, durch gezielte Fragen im Smalltalk ihr Urteil zu überprüfen.

Schlussbemerkung

Lange Zeit hofften Pädagogen, Kinder beliebig formen zu können. Mit den Fortschritten von Verhaltensbiologie und Genetik glaubt kaum noch jemand, der Mensch komme als unbeschriebenes Blatt zur Welt. Unsere Erbanlagen geben uns großartige Möglichkeiten mit, was wir lernen und erleben können.

Ein Schimpanse hat 99 Prozent der Gene mit uns gemeinsam, dennoch wird er niemals sprechen lernen. Technik und Kultur bleiben ihm verschlossen. Die Gene setzen aber auch uns unüberbrückbare Grenzen. Niemand kann mit einem Hüpfer zwanzig Meter weit springen, über Nacht eine neue Fremdsprache erlernen oder mittels magischer Ausstrahlung alle Menschen dieser Welt in einen willenlosen Automaten verwandeln. Zum Glück.

In einer aus Worten gesponnenen Phantasiewelt ist dies freilich alles möglich. Schriftsteller haben in ihren Romanen die seltsamsten Landschaften entworfen, in denen Helden mit nahezu göttlichen Talenten agieren. Sprache bietet ideale Möglichkeiten, die Wirklichkeit zu verfälschen. Wir wären daher schlecht beraten, allein den Worten zu vertrauen. Nichts ist leichter, als mit der gesprochenen oder geschriebenen Sprache zu lügen. Man könnte uns die verrücktesten Dinge erzählen. Wir würden uns heillos verheddern und könnten am Ende nicht mehr zwischen Wahn und Wirklichkeit unterscheiden.

Deswegen halten wir uns an körperliche Tatsachen. »Der Körper lügt nicht«, wusste schon Sigmund Freud. Auch einfühlsame Psychologen hören nicht nur auf das, was ihnen ihr Klient auf der Couch beichtet, sondern achten darauf, was sein Körper ihnen über seine wahren Empfindungen verrät. Im Alltag fühlen wir uns alle ein bisschen als Psychologen. Wir sehen Menschen und bilden uns ein Urteil. Ohne Tests, Fragebögen oder klinische Apparate. Aussehen und Bewegungen genügen uns. Lediglich die Einbildung, der Charakter eines Menschen zeige sich allein in seinen Ideen und tief verborgenen inneren Werten, könnte uns in die Irre führen. Sobald wir anfangen, dem Körper und seinen Signalen zu vertrauen, lichtet sich der Nebel. Wir müssen nur noch genau hinschauen.

Literaturtipps

Die folgende Liste enthält eine Auswahl von leicht zugänglichen Werken, in denen Sie zu einzelnen Aspekten dieses Buches weitere Informationen finden:

Asserate, Asfa-Wossen, *Manieren.* Eichborn, Frankfurt am Main 2004.

Bongertz, Christiane/Michaely, Natali, *Nabelschau. Zwei Frauen enthüllen die letzten 55 Geheimnisse ihrer Spezies.* Ariston, Kreuzlingen, München 2003.

Braun, Harald/Sobiella, Christian, *Die Verräter. Zwei Männer enthüllen die letzten 55 Geheimnisse ihrer Art.* Ariston, Kreuzlingen, München 2002.

Buss, David, *Die Evolution des Begehrens. Geheimnisse der Partnerwahl.* Kabel, Hamburg 1994.

Dimitrius, Jo-Anne/Mazzarella, Mark, *Der erste Blick. Anleitung zur Menschenkenntnis.* Econ, München, Düsseldorf 1999.

Drolshagen, Ebba D., *Des Körpers neue Kleider. Die Herstellung weiblicher Schönheit.* Krüger, Frankfurt am Main 1995.

Ebberfeld, Ingelore, *Küss mich. Eine unterhaltsame Geschichte der wollüstigen Küsse.* Ulrike Helmer, Königstein/Ts 2001.

Eco, Umberto (Hrsg.), *Die Geschichte der Schönheit.* Hanser, München, Wien 2004.

Ekman, Paul, *Weshalb Lügen kurze Beine haben. Über Täuschungen und deren Aufdeckung im privaten und öffentlichen Leben.* De Gruyter, Berlin, New York 1989.

–, *Gefühle lesen. Wie Sie Emotionen erkennen und richtig interpretieren.* Elsevier, München 2004.

Etcoff, Nancy, *Nur die Schönsten überleben. Die Ästhetik des Menschen*. Diederichs, München 2001.

Fisher, Helen, *Anatomie der Liebe. Warum Paare sich finden, sich binden und auseinandergehen*. Knaur, München 1995.

–, *Warum wir lieben. Die Chemie der Leidenschaft*. Patmos, Düsseldorf, Zürich 2005.

Friday, Nancy, *Die Macht der Schönheit. Von der Wiederentdeckung weiblicher Stärke*. Goldmann, München 1999.

Grammer, Karl, *Signale der Liebe. Die biologischen Gesetze der Partnerschaft*. Deutscher Taschenbuch Verlag, München 1995.

Hars, Wolfgang, *Ich bin gut! Eigenwerbung wie ein Profi – Image-Kampagne für das Ich*. Oesch, Zürich 1995.

Hassebrauck, Manfred / Küppers, Beate, *Warum wir aufeinander fliegen. Die Gesetze der Partnerwahl*. Rowohlt, Reinbek 2002.

Hertzer, Karin / Wolfram, Christine, *Lexikon der Irrtümer über Männer und Frauen. Vorurteile, Missverständnisse und Halbwahrheiten von Autofahren bis Zuhören*. Eichborn, Frankfurt am Main 2001.

Klein, Stefan, *Die Glücksformel oder Wie die guten Gefühle entstehen*. Rowohlt, Reinbek 2002.

–, *Alles Zufall. Die Kraft, die unser Leben bestimmt*. Rowohlt, Reinbek 2004.

Knigge, Moritz Freiherr / Cornelsen, Claudia, *Zeichen der Macht. Die geheime Sprache der Symbole*. Ullstein, Berlin 2006.

McNeill, Daniel, *Das Gesicht. Eine Kulturgeschichte*. Kremayr & Scherjau, Wien 2001.

Menninghaus, Winfried, *Das Versprechen der Schönheit*. Suhrkamp, Frankfurt am Main 2003.

Naumann, Frank, *Die Kunst der Diplomatie. 20 Gesetze für sanfte Sieger*. Rowohlt, Reinbek 2003.

–, *Die Kunst des Smalltalk. Leicht ins Gespräch kommen, locker Kontakte knüpfen.* Rowohlt, Reinbek 2001.

–, *Die 10 Geheimnisse ewiger Liebe.* Krüger, Frankfurt am Main 2003.

–, *Kleiner Machiavelli für Überlebenskünstler. 15 Gewinnerstrategien in Krisenzeiten.* Rowohlt, Reinbek 2005.

Pease, Allan/Pease, Barbara, *Die kalte Schulter und der warme Händedruck. Ganz natürliche Erklärungen für die geheime Sprache unserer Körper.* Ullstein, Berlin 2004.

–/–, *Warum Männer lügen und Frauen immer Schuhe kaufen. Ganz natürliche Erklärungen für eigentlich unerklärliche Beziehungen.* Ullstein, München 2002.

Piras, Claudia/Roetzel, Bernhard, *Die Lady. Handbuch der klassischen Damenmode.* DuMont, Köln 2002.

Pope Jr., Harrison G./Phillips, Katharine A./Olivardia, Roberto, *Der Adonis-Komplex. Schönheitswahn und Körperkult bei Männern.* Deutscher Taschenbuch Verlag, München 2001.

Roetzel, Bernhard, *Der Gentleman. Handbuch der klassischen Herrenmode.* Könemann, Köln 1999.

Schirrmacher, Frank, *Das Methusalem-Komplott.* Blessing, München 2004.

Schönburg, Alexander von, *Die Kunst des stilvollen Verarmens. Wie man ohne Geld reich wird.* Rowohlt, Reinbek 2005.

Tramitz, Christiane, *Irren ist männlich. Die weibliche Körpersprache und ihre Wirkung auf Männer.* Goldmann, München 1995.

Wlodarek, Eva, *Mich übersieht keiner mehr. Größere Ausstrahlung gewinnen.* S. Fischer, Frankfurt am Main 1999.

Im Internet:
www.beautycheck.de
www.egonet.de
www.wissenschaft.de